„Der Glaube führt uns zusammen und schenkt uns ein Fest.
Er schenkt uns die Freude an Gott, an der Schöpfung, am Miteinandersein."

Bistum Regensburg (Hg.)

Papst Benedikt XVI. in Regensburg

Erinnerungen an ein Jahrtausendereignis

Text von Karl Birkenseer

Verlag Friedrich Pustet Regensburg

Impressum

Projektleitung:
Philip Hockerts und Dr. Monika Hoffmann

Fotografie:
www.altrofoto.de (Florian Hammerich, Christian Kober, Paul Mazurek, Uwe Moosburger).
Uwe Moosburger, geb. 1964, Fotograf und Bildjournalist;
seit 2005 Leitung von altro – die Fotoagentur, Regensburg.

Christlicher Medienversand, www.christ-media.de (Christoph Hurnaus, Josef Reiter).
Christoph Hurnaus, geb. 1969, Fotograf und Buchhändler, Linz.
Hat als Fotograf bereits Papst Johannes Paul II. auf zahlreichen Reisen begleitet
und zwei Kalender über Benedikt XVI. fotografiert.

Weitere Abbildungen:
Bernhard Kaiser (S. 61, 72), Privat (S. 126, 127), KNA (S. 76, 125, 130, 141), Herbert Stolz (S. 24 o., 47, 79, 82),

Text:
Karl Birkenseer (geb. 1955; Politikredakteur bei der Passauer Neuen Presse;
Arbeitsschwerpunkte Kirche und Kirchenpolitik; wohnhaft in Regensburg).
Autor von „Hier bin ich wirklich daheim". Papst Benedikt XVI. und das Bistum Regensburg,
2005 im Verlag Friedrich Pustet erschienen.

Bibliografische Information der Deutschen Nationalbibliothek
Die Deutsche Nationalbibliothek verzeichnet diese Publikation in der Deutschen Nationalbibliografie; detaillierte bibliografische Angaben sind im Internet über http://dnb.d-nb.de abrufbar.

www.bistum-regensburg.de
www.pustet.de

ISBN-10 3-7917-2041-4
ISBN-13 978-3-7917-2041-8

Inhalt

Geleitwort

Vergelt's Gott, Heiliger Vater!

Unser Heiliger Vater, Papst Benedikt XVI. hat vier Tage lang unsere Diözese Regensburg besucht. Es waren für uns alle Tage der Gnade und der Freude. Erinnern wir uns an die leuchtenden Gesichter der Menschen, die den Heiligen Vater in Regensburg begrüßt haben. Ihre Freude über den Pastoralbesuch des Nachfolgers Petri ist ein sichtbares Zeugnis für den Glauben.

Wenn wir uns in den Tagen des Besuchs des Heiligen Vaters umblickten, dann sahen wir viele tausend Menschen, die mit uns gemeinsam das zentrale Geheimnis unseres Glaubens gefeiert haben: die Eucharistie. Sie versinnbildlicht die Universalität des Hirtenauftrags des Papstes. Christus selbst schafft die Gemeinschaft, die wir empfangen. Und diese tiefe Gemeinschaft umfasst junge und alte Menschen, Gesunde und Kranke – sie alle sind die Gemeinschaft, die den Mitmenschen für uns zum Nächsten werden lässt – „Wer glaubt, ist nie allein"!

In seinen Predigten und Ansprachen hat sich unser Papst direkt an jeden einzelnen von uns gewandt. Wir dürfen zu Zeugen für das Evangelium werden, überall dort, wo wir leben, arbeiten und uns engagieren. Seine Worte führen uns aus der Oberflächlichkeit so mancher Situation hinein in die Klarheit der Botschaft vom Reiche Gottes.

Deshalb dürfen wir den Besuch des Heiligen Vaters nicht als ein Kapitel im Geschichtsbuch der Kirche in Regensburg ablegen. Vielmehr greifen wir die Dynamik auf, mit der uns der Heilige Vater selbst durch seinen Dienst beschenkt hat. Nie müde zu werden, sich selbst und sein Handeln in den Dienst des Reiches Gottes zu stellen. Wir sagen deshalb danke für das Geschenk des Pastoralbesuches.

Die Texte und Bilder, die in diesem Band veröffentlicht werden, rufen uns diese Tage in Erinnerung und bewegen uns dazu, die geistliche Kraft des Pastoralbesuches immer wieder neu zu erleben.

Regensburg, am Fest des Hl. Emmeram 2006

+ Gerhard Ludwig

Bischof von Regensburg

Ein Bistum erinnert sich

Begegnungen
mit einem großen Menschenfischer

Der Papst war überall gern. Und trotzdem entstand der Eindruck, dass er in Regensburg und Pentling noch ein bisschen lieber war. Wenn seine Herzlichkeit überhaupt zu steigern war, dann hier. Wenn sein Heimatgefühl noch mehr zu Herzen gehen konnte, dann hier. Wenn der Abschied noch mehr schmerzte, dann hier. Das alles stimmt – und es stimmt auch nicht. Falsch ist es, weil Joseph Ratzingers Erinnerungen an München und Altötting, an Freising, Traunstein und Tittmoning bestimmt genauso fest in sein Innenleben verwoben sind wie die Fäden, die ihn mit der Regensburger Luzengasse, der Pentlinger Bergstraße, dem Dom St. Peter und mit der Universität verbinden. Richtig aber ist, dass hier im Stadt- und Landkreis Regensburg mehr als 35 Jahre lang sein privates Lebensumfeld war. Rom und Regensburg – das waren die beiden Pole des Alltagslebens von Kardinal Joseph Ratzinger. Dort, wo man Nachbarn kennt, beim Bäcker um die Ecke einkauft und regelmäßig alte Freunde trifft, da ist man daheim.

Nun aber Schluss mit all den Streicheleinheiten für die Bewohner der „Papststadt" Regensburg und ihrer liebsten Nachbargemeinde. Der warme Regen an Anerkennung, der durch die Fernsehbilder der nächtlich leuchtenden Ratisbona ausgelöst wurde, wird sicherlich noch manche Früchte tragen – deshalb muss man nicht andauernd darüber reden. Schließlich war der Besuch Benedikts XVI. ein Ereignis für das ganze Bistum. Die Pilgerströme zum Islinger Feld näherten sich wie bei einer Sternwallfahrt aus allen Himmelsrichtungen: Aus Weiden, aus Straubing, aus Kelheim, aus Parsberg waren die Busse unterwegs – und aus den vielen anderen Städten und Gemeinden, deren Pfarreien mit Pilgergruppen beim großen Fest des Glaubens vertreten waren.

Auch beim Wort vom „Jahrtausendereignis" dürfen sich alle Gläubigen in der Diözese angesprochen fühlen. Und das nicht nur, weil der letzte Papst, der Regensburg besucht hatte – der aus Schwaben stammende Viktor II. –, bereits vor 950 Jahren, an Weihnachten 1056, in der Domstadt weilte. Mittlerweile wächst auch in breiteren Kreisen die Ahnung, dass Benedikt XVI., dieser Pontifex mit den altbayerischen Wurzeln, mehr sein könnte als ein brillanter theologischer Stubenhocker, den es aus der Glaubensbehörde auf den Stuhl Petri verschlagen hat. Benedikts Predigten und Ansprachen, die tiefe Bescheidenheit seines Auftretens, der einladende Gestus, mit dem er für eine Wiederentdeckung Gottes wirbt – all dies lässt die Erwartung zu, hier habe zu Beginn des dritten Jahrtausends einer der großen Menschenfischer sein Werk begonnen. Wann wurden zuletzt komplexe theologische Sachverhalte mit so einfachen Worten erklärt? Wann hat zuletzt ein hoher katholischer Würdenträger so viel Respekt bei Naturwissenschaftlern und Philosophen gefunden? Wann gab es zuletzt so viel Mut zum Dialog der Kulturen, wie Benedikt XVI. ihn mit seiner Regensburger Vorlesung über „Glaube und Vernunft" bewiesen hat?

Ob Joseph Ratzinger ein „Jahrtausendpapst" sein wird, darüber kann nur die Geschichte entscheiden. Dass er als „Papst der Herzen" in Erinnerung bleibt, darüber jedenfalls haben die Menschen in Regensburg und Pentling, in München und Altötting, in Marktl und in Freising ihr Urteil schon gesprochen. Das große Gemeinschaftsgefühl des Glaubens bei den Papstmessen der Bayern-Reise hat allen Beteiligten – denen vor Ort und denen vor den Fernsehschirmen – gezeigt, dass es möglich ist, für die eigene Sache mit Freude, Herzlichkeit und Gelöstheit einzustehen statt mit Ellenbogen oder Schaum vor dem Mund.

Das gemeinsame Feiern mit Gebet, Gesang, Meditation, aber auch mit überbordender Begeisterung hat neues Selbstbewusstsein geschaffen – und dieses Selbstbewusstsein wird nachwirken.

Wie überhaupt die Nachwirkung das Entscheidende ist bei diesem Papst. Seine Predigten haben die Sprengkraft des Weizenkorns, seine theologischen Gedanken entfesseln eine Dynamik, die den Glauben vom Staub musealer Betrachtungen befreit und Gott im Innersten des Menschen verankert. Weil das so ist, und weil zu all dem noch Liebe und Offenheit, Warmherzigkeit und Bodenständigkeit dazukommen, werden die Menschen ihre Erinnerungen an „Benedetto" wie einen Schatz bewahren. Wer erlebt hat, wie viel Glück der Papst beim „Fest des Glaubens" auf dem Islinger Feld empfand, wer seine leuchtenden Augen bei der Wiederbegegnung mit dem Regensburger Dom gesehen hat, wer beobachten konnte, wie „kindlich" er sich den Kindern näherte, der wird es nie vergessen. Benedikt XVI. hat uns reicher gemacht mit seinem Besuch im Bistum Regensburg. Er hat uns Erinnerungen geschenkt, die wir bis ans Ende unserer Tage weitergeben können.

Dass für ihn selbst Erinnerungen ein Hauptmotiv der Bayern-Visite waren, hat er nie verschwiegen. Aber ebenso wahr ist, dass bei ihm das Private und das Biographische immer über sich selbst hinausweisen. Pastoralreise und Rückkehr zu den persönlichen Wurzeln – das muss kein Gegensatz sein. Der Glaube, den Benedikt XVI. als Kind kennenlernte, war genauso Teil des öffentlichen Lebens wie des familiären Alltags. Dass aus einer verklärten Vergangenheit keine Zukunft zu gewinnen ist, das weiß der Geschichtstheologe Joseph Ratzinger. Dass aber ein Leben, das Innenwelt und Außenwelt trennt, im Endeffekt krank macht – diese Einsicht hat bei ihm theologische Früchte getragen. Gott kann nur wiederentdeckt werden, wenn wir ihn in unserem eigenen Leben entdecken. So werden Privates und Allgemeinverbindliches, hohe Theologie und „ganz normales Leben" aufs Schönste vereint.

Benedikt selbst hat es uns vor Augen geführt – zwischen Papamobilfahrt und Eucharistie, Universitätsvorlesung und Ökumenischem Gebet, Orgelweihe und Einkehr im eigenen Haus. Im Glück der Erinnerung bleibt auch dieser Teil der Reise verwahrt.

Unser Buch will deshalb ein Ankerplatz sein für all die Erinnerungen, die Menschen mit dem Papst-Besuch in Regensburg verbinden. Jeder, der dabei war, hat seine eigenen Geschichten zu erzählen, seine eigenen Einsichten zu verarbeiten, seinen eigenen Weg mit Benedikt zu gehen. Aber indem das Buch noch einmal alle Stationen Revue passieren lässt, noch einmal das „Papstwetter" lobt, die „Benedetto-Stimmung" streift, die Begeisterung inmitten von Predigt und Gottesdienst weckt, kann es zum Ort kollektiver Rückbesinnung werden. Fotografien und Texte auf den folgenden Seiten sind nur der Ausgangspunkt für eine gemeinsame Spurensuche, die unter der Überschrift steht: „Ein Bistum erinnert sich".

Karl Birkenseer

BENEDIKT XVI. IN REGENSBURG
2006

Willkommen Heiliger Vater!
Gegen 20 Uhr landete der Helikopter der Bundeswehr auf dem Gelände der Nibelungenkaserne.

Regensburg leuchtet

Die Ankunft des Papstes und die Nacht der Pilger auf dem Islinger Feld

Unter all den Orten, an die Papst Benedikt XVI. bei seinem Besuch in Regensburg kam, war der Hubschrauber-Landeplatz der Nibelungenkaserne sicherlich der Unspektakulärste. Und doch markiert dieser Ort die beiden Zeitpole seines Aufenthalts: Hier landete der Pontifex am Montag, dem 11. September 2006, um 19.58 Uhr, hier flog er am Donnerstag, dem 14. September, um 9.36 Uhr wieder ab. Diese vier Tage sind in die Geschichte von Stadt und Bistum Regensburg eingegangen. Die mit Regensburg verknüpften Hauptereignisse – Papstmesse, Universitätsvorlesung und Ökumenische Vesper – werden die Historiker beschäftigen, weil hier religiöse und politische Weichenstellungen deutlich wurden, die das Pontifikat Papst Benedikts XVI. in seiner Gesamtheit prägen.

Seit Tagen lag eine erwartungsvolle Stimmung in der Luft. Die Menschen spürten das Bedeutungsvolle dieses Besuchs – auch wenn es zunächst einmal nur um die Freude ging, „einen der Unseren" als Oberhaupt der katholischen Kirche begrüßen zu können. Als sich dann am Montagabend die Dämmerung über die spätsommerlich warme Stadt legte, als der Hubschrauberverband der Bundespolizei mit Papst und Papstgefolge am östlichen Horizont auftauchte, als endlich das Geläut der Kirchenglocken eine geschlagene Viertelstunde lang die Luft erfüllte – da war das Historische dieses Augenblicks mit Händen zu greifen. „So etwas" hat-

ten die Bewohner dieser Stadt noch nie erlebt, und sie werden es, aller Wahrscheinlichkeit nach, auch nie wieder erleben.

Auf dem Regensburger Domplatz standen die Menschen seit Stunden dicht an dicht und verfolgten das Geschehen auf der Großbildleinwand. Bereits als Benedikt XVI. um 19.20 Uhr in Marktl am Inn den Hubschrauber bestiegen hatte, jubelten und klatschten sie. Aber nun, da der Helikopter in der Nibelungenkaserne gelandet war und der Papst Regensburger Boden unter den Füßen hatte, kannte der Beifall keine Grenzen. „Jetzt ist Regensburg Papststadt", kommentierte Stefan Scheider vom Bayerischen Fernsehen, das in der Ecke vor dem „Domplatz 5" seine Übertragungsplattform aufgebaut hatte – „Papst Benedikt kehrt zurück in seine tatsächliche Heimat, wie er selbst sagt".

Der Regensburger Bischof Gerhard Ludwig Müller, der in der Nibelungenkaserne bei der Begrüßung mit dabei war, hatte schon im Vorfeld mehrfach betont, dieser Besuch sei „kirchengeschichtlich das wichtigste Ereignis seit der Gründung des Bistums durch den heiligen Bonifatius im Jahr 739." Neben dem Oberhirten waren weitere Vertreter des Öffentlichen Lebens erschienen, um den Pontifex willkommen zu heißen: so die bayerische Bundesrats- und Europaministerin Emilia Müller für den Freistaat, Oberbürgermeister Hans Schaidinger für die Stadt und Landrat Herbert Mirbeth für den Landkreis Regensburg. Die Staatsministerin begrüßte Benedikt mit den Worten: „Herzlich willkommen daheim, Heiliger Vater. Für uns alle ist es ein besonderes Ereignis, wenn wir morgen am Gottesdienst teilhaben können. Das bewegt die ganze Bevölkerung in der Oberpfalz und darüber hinaus." „Ich freue mich, dass alle Menschen so viel Anteil nehmen", entgegnete der Papst.

Benedikt XVI. betrat am 11. September 2006 abends Regensburger Boden.
Bald begannen alle Kirchenglocken zu läuten.

Neben dem Gastgeber, Bischof Gerhard Ludwig, begrüßten den Pontifex Ministerin Emilia Müller für die bayerische
Staatsregierung, Landrat Herbert Mirbeth und Regensburgs Oberbürgermeister Hans Schaidinger.

Viermal chauffierte das Papamobil den Papst während seines Aufenthalts in Regensburg.

Anschließend setzte sich eine Wagenkolonne mit dem Papamobil in Bewegung. Die Fahrt ging Richtung Innenstadt, um auf der Route Unterislinger Weg, Furtmayrstraße, Galgenbergbrücke, Maximilianstraße, Domplatz das am Bismarckplatz gelegene Priesterseminar zu erreichen. Hier residierte der Papst in den kommenden Tagen. In den dunklen BMW-Limousinen fuhren die Mitglieder des Päpstlichen Gefolges, darunter die Kardinäle Angelo Sodano, Walter Kasper, Karl Lehmann und Friedrich Wetter, außerdem wichtige Funktionsträger wie Reisemarschall Alberto Gasbarri oder Kammerdiener Paolo Gabriele. Papstbruder Georg Ratzinger saß im „Wagen Nr. 5", zusammen mit Leibarzt Renato Buzzonetti und Zeremonienmeister Piero Marini. Bischof Gerhard Ludwig Müller hatte neben Papstsekretär Georg Gänswein im Papamobil Platz genommen.

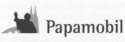 Papamobil

Papamobile sind die besonders gesicherten Fahrzeuge des Papstes, mit denen er bei öffentlichen Auftritten durch die Menge der Gläubigen gefahren wird. Der Begriff „Papamobil" setzt sich aus den italienischen Begriffen *papa* für Papst und (auto)*mobile* für Auto zusammen.

Jenes Fahrzeug, das gerade den Papst befördert, hat immer das Kennzeichen SCV 1 (Stato della Città del Vaticano).

Papamobile in Regensburg (Daimler-Chrysler)	2
Papamobile weltweit (laut Schätzung)	50
Gewicht	4 Tonnen
PS	272
Geschwindigkeit	bis zu 80 km/h
Die Höhe des Fahrzeuges	2,80 m
Die Kosten eines Papamobils	300.000 Euro

Der Konvoi passierte die Maximilianstraße in Regensburg.

Das erste „Bad in der Menge"; Benedikt XVI. freute sich und war glücklich. Er war daheim.

Ein Jubel, der von Herzen kam

Zehntausende Menschen säumten die Fahrtstrecke, schwangen Fahnen, fotografierten, applaudierten und brachen immer wieder in „Benedetto"-Rufe aus. Viele der jungen Papstfans waren so begeistert, dass sie am Straßenrand mit der Kolonne mitliefen. Es war eine fröhliche, fast heitere Stimmung, die bei aller Emotionalität nichts Ausuferndes hatte. „Ich erwarte mir unter anderem eine Stimmung und einen Trubel wie bei der Fußball-Weltmeisterschaft", hatte kurz vorher ein junger Mann im Interview mit der „Mittelbayerischen Zeitung" gesagt. Er lag haarscharf daneben. Nicht Gejohle und Schlachtgesänge dominierten hier, sondern ein Jubel, der von innen kam.

Fahnen schmückten den Dom und ließen die Wasserspeier „strahlen".

Vor dem Südportal des Doms wartete das Domkapitel.

Die Fernsehleute aus München, die den Heiligen Vater seit Samstag begleitet hatten, kamen aus dem Staunen nicht heraus. „Ganz Regensburg leuchtet für den Papst", schwärmte Stefan Scheider. Und tatsächlich: Die eben erst mit dem Titel „Weltkulturerbe" ausgezeichnete Stadt zeigte sich von ihrer schönsten Seite – als „mittelalterliches Wunder", das in nächtlicher Beleuchtung besonders festlich glänzt. Auch die besondere Nähe der jubelnden Menschen zu „ihrem" Papst fiel auf. Stefan Scheider: „Ich habe das Gefühl, hier gibt es noch ein bisschen mehr Herzlichkeit als in Altötting und München." Und Peter Seewald, Deutschlands kompetentester Benedikt-Spezialist, ergänzte: „Man sieht, die Menschen können etwas damit anfangen: Sie kennen den Papst – er ist einer der ihren, das merkt man." Professor Wolfgang Beinert – wie Seewald als Experte in der BR-Runde – konnte sich den Hinweis nicht verkneifen: „Es ist Fakt, dass das Haus Joseph Ratzingers auf Pentlinger Boden steht." Und so mancher Papst-Freund aus Pentling war ebenfalls auf dem Domplatz und jubelte mit.

Viele junge Menschen standen entlang der Fahrtroute durch die Altstadt, die eine einzigartige Kulisse abgab.

Halt vor der Westfassade

Die Stimmung erreichte einen neuen Höhepunkt, als Benedikt XVI. das Papamobil in der Kurve vom Domplatz zum Krauterermarkt anhalten ließ. Blitzlichtgewitter, „Bravo"-Rufe und feierliche Bläsermusik begrüßten den Papst. Die Westfassade des Doms, mit zwei 36 Meter langen Kirchenfahnen in Gelb und Weiß geschmückt, strahlte in hellen Kalktönen. Erstmals seit 100 Jahren war die Schauseite der Kathedrale St. Peter mit den beiden Turmspitzen wieder in ihrer ganzen Pracht zu bewundern, denn rechtzeitig zum Papst-Besuch hatte man die Holzverschalung des Westportals beseitigt. Professor Beinert an die Adresse der Fernsehzuschauer: „Den Dom hat noch kein Mensch, der jetzt lebt, ohne Gerüst gesehen."

Tribüne des Bayerischen Fernsehens am Domplatz mit den Kommentatoren, Stefan Scheider vom BR, dem Regensburger Dogmatik-Professor em. Wolfgang Beinert (Mitte) und Peter Seewald, dem Biografen Papst Benedikts

Dass sich nicht nur die Regensburger, sondern Zuschauer in aller Welt über diese Szenen freuen konnten, dafür sorgte der Bayerische Rundfunk. Als „Host-Broadcaster" war er für die weltweite Verbreitung der Töne und Bilder zuständig. Auch die anderen Sender verwendeten das Material des Bayerischen Fernsehens und versahen es mit eigenen Kommentaren. Insgesamt hatten sich 50 TV-Teams für den Papst-Besuch in Regensburg angemeldet – das ZDF etwa ließ sein „Freiluft-Studio" über dem Brunnen am Krautermarkt errichten. Neben den Vertretern der elektronischen Medien waren 500 schreibende Journalisten und 200 Fotografen im Einsatz.

Nach dem kurzen Halt am Dom fuhr der Papst weiter Richtung Altes Rathaus, wo die Stadtverwaltung ein großes Transparent angebracht hatte. Zwischen den gekreuzten Schlüsseln des Regensburger Stadtwappens und einem segnenden Benedikt konnte der Heilige Vater lesen: „Regensburg grüßt seinen Ehrenbürger Papst Benedikt XVI." Immer, wenn die Straßen besonders schmal wurden, wie an der Engstelle zwischen Haidplatz und Ludwigstraße, war der Papst für die Menschen zum Greifen nah. Am Bismarckplatz herrschte bereits seit Stunden Volksfeststimmung. Um 20.40 Uhr bog das Papamobil durch die Drei-Mohren-Gasse

auf den Theatervorplatz ein. Benedikt winkte den gut 1500 Wartenden durch das geöffnete Seitenfenster zu. Kurze Zeit später verschwand die Wagenkolonne in der breiten Toreinfahrt des Priesterseminars. „Schade, dass er nicht ausgestiegen ist", sagte eine alte Dame, die seit 18 Uhr hinter dem Absperrgitter gewartet hatte, der „Mittelbayerischen Zeitung".

Eine der vielen Kamera-Positionen in der Stadt

„Jugendmeile" mit Kerzen und Fackeln

Am Ende eines anstrengenden Tages, der von München über Altötting und Marktl nach Regensburg geführt hatte, konnte Benedikt XVI. nun ein bisschen Ruhe finden. Derweil herrschte an der „Pilgerfront" schon reger Betrieb. Für 800 Jugendliche etwa hatte die „heiße Phase" des Papst-Besuchs bereits um 19 Uhr mit einem Gottesdienst in der Antoniuskirche begonnen. Danach zogen sie in die Furtmayrstraße, um den Heiligen Vater mit einer „Jugendmeile" zu begrüßen. Die jungen Leute – allesamt Mitglieder von BDKJ und „Jugend 2000" – hatten Kerzen und Fackeln entzündet. Auf Spruchbändern war zu lesen „Gott ist die Liebe" oder „Herzlich Willkommen Heiliger Vater". Endlich näherte sich das Papamobil der „Jugendmeile". Die 800 Papstfans gerieten fast aus dem Häuschen und skandierten „Be-ne-detto, Be-ne-detto". Die 15-jährige Sarah gestand hinterher: „Ich bin total begeistert von der Natürlichkeit und dem freundlichen Winken des Papstes."

Als einer der ersten Pilger hatte sich Matthias Gerlach, ein Student aus Lübeck, am Islinger Feld eingefunden. Bereits um 13 Uhr des 11. September saß er am Bordstein vor dem Eingang zum Gottesdienst-Gelände – er würde die Stunden warten, bis die Ordner nachts das Tor öffneten. Der „Mittelbayerischen Zeitung" erzählte der junge Mann, er vertrete hier bewusst die Diaspora: „In Lübeck sind nur zwei Prozent der Bevölkerung katholisch." Im Laufe des Nachmittags trafen auch am Hauptbahnhof schon Wallfahrergruppen ein und zogen mit ihren Fahnen und Transparenten durch die Straßen. Mit dem Rad waren 19 Pilger aus dem Landkreis Tirschenreuth unterwegs. Unter dem Motto „Benedetto per pedale" waren sie fast 140 Kilometer weit gefahren, um sich die Teilnahme am großen Papst-Gottesdienst zu erstrampeln.

Zur Tirschenreuther Gruppe gehörte auch die 38-jährige Martina Mark. Nicht ohne Stolz erzählte sie der „Passauer Neuen Presse": „Wir sind die allerersten auf dem Islinger Feld gewesen, bereits um 20 Uhr sind wir auf das Areal geradelt." Um 20 Uhr? Da hatten die Ordner ein Einsehen gehabt. Martina Macks größter Wunsch sollte in wenigen Stunden in Erfüllung gehen: „Einmal den Papst in Bayern erleben." Ähnlich ihre 14-jährige Nichte Patricia Mark: „Ihn ganz nah zu sehen, das wäre toll."

Viele Gruppen kamen per Bahn; dann hieß es etwa 4 km wandern zum Islinger Feld.

Be-ne-detto, Be-ne-detto!

Das Islinger Feld mit dem Altarhügel, der „Sakristei" schräg dahinter, den beiden längs stehenden Zelten für Gäste und Medien und der querstehenden Bühne für den Chor, insgesamt 660.000 qm

Hallo, ich bin
ein Papst-Fan!

„Nachtblick" auf den Altarhügel und das 16 m hohe und 10 Tonnen schwere Kreuz.

Aus allen Teilen des Bistums kamen die „Minis".

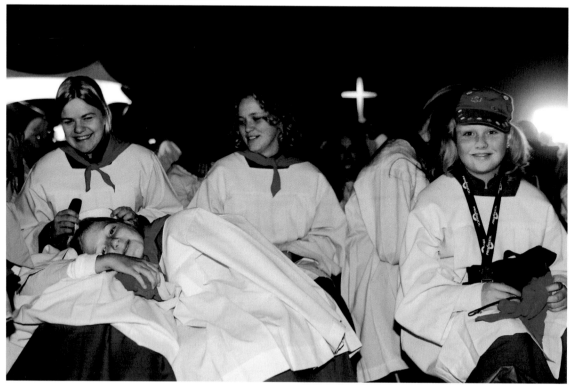

Heitere Stimmung, auch wenn's noch dunkel ist

Viele verbrachten die Nacht vom 11. auf den 12. September auf dem Islinger Feld, ausgerüstet mit Schlafsäcken, Planen und Isomatten bei Temperaturen um 7° Celsius.

Warten auf den Ernstfall

Auffallend viele junge Leute waren schon nachts auf dem Feld; die Stimmung war offensichtlich gelöst und heiter.

Nicht nur aus dem Bistum Regensburg, aus Bayern und ganz Deutschland hatten sich Pilger aufgemacht, um mit dem Heiligen Vater Gottesdienst in der „größten Freiluftkathedrale der Oberpfalz" (so Bischof Gerhard Ludwig Müller) zu feiern. 7000 Tschechen, 500 Polen, ebenso viele Österreicher, knapp 100 Franzosen und sogar einzelne Gläubige aus Sidney, der australischen Weltjugendtagsstadt 2008, sowie aus Kalifornien waren angemeldet. Besonders faszinierend ist die Geschichte von Don und Lilian Gook, die den weiten Weg von Kanada auf sich genommen hatten. Don Gook pflegt seit langem Verbindungen in die Oberpfalz, denn von 1974 bis 1976 spielte er beim Eishockeyclub EV Regensburg. Mit einem Teamkameraden von damals, Martin Meindl aus Donaustauf, hält er engen Kontakt. Als die kanadischen Freunde vor einem halben Jahr von Martin und Rita Meindl davon erfuhren, dass der Papst nach Regensburg kommen würde, da rief der gläubige Katholik Don Gook spontan aus: „Das müssen wir unbedingt sehen." Und so kam es dann auch. Sogar ein Transparent haben sie gepinselt: „Pope Benedict XVI Best Wishes Quesnel British Columbia Canada".

Während die Gooks bei ihren deutschen Freunden in Donaustauf einquartiert waren, mussten sich die meisten Pilger, die von weiter her kamen, eine Unterkunft suchen. Das Angebot war reichhaltig: Hotels oder privat vermietete Räume, zwei große Volksfestzelte auf dem Gelände der eben beendeten Dult, ein ehemaliges Möbelhaus, das zur „Casa Benedikto" umgestaltet worden war, oder eben ein Fleckchen Rasen auf dem Islinger Feld. Die Übernachtungsbedingungen unter freiem Himmel hat die „Mittelbayerische Zeitung" wie folgt zusammengefasst: „Die Nacht ist kalt. Der Himmel sternenklar, das Gras feucht, die Nasen laufen. Doch die meisten Pilger sind bestens ausgestattet: Klappstühle, Schlafsäcke, Isomatten, Skianoraks, Thermoskannen. Immer wieder fragen sie sich: Ist der Platz auch strategisch gut gewählt? Kann man es noch weiter nach vorne schaffen? Schließlich will man dem Papst doch so nahe wie möglich sein."

Bald ist die Nacht vorbei.

Die Vier von der schlafenden Truppe

Rosenkranz mit sanfter Stimme

Für die Zeit nach Mitternacht war ein „Nachtgebet der Jugend" angesetzt – ein geistliches Programm mit Meditation, Elementen aus Taizé, Texten und Gesang. Das Altarzelt leuchtete in der Dunkelheit wie aus einer anderen Welt. Das 16 Meter hohe Kreuz daneben gab die Richtung an. Um 1 Uhr erschien Bischof Gerhard Ludwig Müller auf den Großbildschirmen. Er sprach seine Freude darüber aus, dass sich die vor allem jungen Menschen hier versammelt hatten, und erinnerte noch einmal daran, dass ein Jahrtausendereignis bevorstand: Nur mehr neun Stunden bis zum Beginn der Messe mit dem Papst. Bis 2 Uhr dauerte die Vigil, um 5 Uhr wurde Laudes gefeiert. Danach gestalteten verschiedene geistliche Gruppierungen und Ordensgemeinschaften den Rosenkranz, darunter drei Domi-

nikanerinnen aus dem Regensburger Kloster Heilig Kreuz. Mit ihren sanften Stimmen schienen sie trotz aller Inbrunst des Gebets Rücksicht auf diejenigen nehmen zu wollen, die unter ihren wärmenden Folien noch schliefen.

Die besondere Atmosphäre dieser Nacht schildert Brigitte Brennecke aus Köfering in einem Leserbrief, der ebenfalls in der „Mittelbayerischen Zeitung" abgedruckt wurde: „Wir sind von Köfering zur Papstwiese 11,5 Kilometer gelaufen. Um 0 Uhr ging es los, und um 3 Uhr waren wir da. (...) Ich werde nie den Augenblick vergessen, als wir schon von weitem Gesänge hörten, als wir die Papstwiese betraten. Es war einfach grandios – so viele Menschen, teilweise auf dem Boden schlafend, mit Teelichtern, und eine Ruhe, Stille, die einem gut tat."

Nachtgebet der Jugend

Der Sonnenaufgang über dem Islinger Feld versprach einen klaren Spätsommertag.

Archaische Bilder

Als um 6 Uhr die Sonne aufging, zeichnete sich trotz der kühlen Morgentemperaturen bereits ab, dass dieser 12. September wieder ein herrlicher Spätsommertag werden würde. Mittlerweile hatten sich immer mehr Pilger den schlafenden oder tapfer mitbetenden Campern zugesellt – auf der Autobahn A3 stand bereits Bus an Bus. Auch eine Gruppe behinderter Menschen aus Reichenbach, die von den Barmherzigen Brüdern betreut werden, war zu dieser frühen Stunde schon da. Pastoralreferent Uli Doblinger schilderte der „Mittelbayerischen Zeitung" die Reaktion seiner Schützlinge: „Alleine den Sonnenaufgang auf dem Islinger Feld zu beobachten, treibt die emotionalen Gefühle dieser Menschen an. Sie haben verstanden, dass dies ein besonderer Ort ist."

Euphorisch auch die Stimmung beim Moderator des Bayerischen Rundfunks, Peter Mezger, als er von seinem erhöhten Standpunkt aus beobachten konnte, wie zwischen Nebelschwaden, im Gold des frühen Morgens, immer mehr Menschen dem Gottesdienstgelände zustrebten: Ministranten in ihren Messgewändern, Erwachsene in Wanderkleidung, Fahnenträger mit schwankenden Bannern. Mezger, der das Heilige Land und den Papst gut kennt, fühlte sich an biblische Szenen erinnert, in denen Menschenmassen aus allen Himmelsrichtungen zusammenlaufen, um die Worte eines Predigers zu hören. So auch hier: „Pilgerströme von allen Seiten, die in der Morgensonne auf das Islinger Feld kommen – das sind ganz archaische Bilder." Archaisch ja, aber auch ein Indiz für die Richtigkeit des Papstwortes „Die Kirche lebt, und sie ist jung". Denn die Zahl der Ministranten wuchs ständig – Ministranten in roten, in grünen, in blauen Kutten – am Schluss sollten es weit über 17.000 sein ...

Die A3 war auf 10 km Länge in beiden Richtungen gesperrt und wurde mit Bussen dicht belegt.
Die ersten kamen schon nachts.

 ## Anreise

Parkplätze

Für Fahrräder 30.000

Für PKW 30.000

Für Busse 2.000

Sperrung der A3 für Busparkplätze

in beiden Richtungen .... 10 km

Bahn

Bahnreisende .... 50.000 Personen

Shuttlezüge 75

Züge fuhren ab 0 Uhr im .... Stundentakt

Rückfahrt im .... Halbstundentakt

Zusätzliches Personal .... 200 Personen

Noch zwei Stunden bis zur Ankunft des Papstes

Räder waren das beste Verkehrsmittel, um nahe an das Islinger Feld zu kommen.

Das Feld belebte sich immer mehr.

Für alle Fälle gerüstet!

 # Sicherheit

Feuerwehr

Einsatzkräfte:

Stadt Regensburg	200
Landkreis Regensburg	1.100
Staatl. Feuerwehrschule u. WF BMW	30
Landkreis Cham	450
Landkreis Neumarkt	180
Landkreis Schwandorf	180
Landkreis Kelheim	100
Landkreis Straubing-Bogen	150

Besetzt in Stadt und Landkreis Regensburg:

Feuerwehrgerätehäuser	30
Bahnhöfe	13
Bus- und PKW-Parkplätze	alle

Der Papstbesuch war seit Monaten Hauptaufgabe, die täglich mindestens 3 Stunden Vorbereitungszeit und insgesamt 50 Sitzungen beanspruchte. Die gesamte Arbeitsleistung wurde freiwillig und ehrenamtlich geleistet.

Polizei

Polizeibeamte insgesamt	5.000
Davon außerbayerische Kräfte	1.500

Einsatzbereiche: Streckenschutz (Absperrung der Fahrtstrecken), Veranstaltungsschutz, Verkehrsmaßnahmen, Objektschutz, Begleitschutz und erweiterter Personenschutz, Kriminalpolizeiliche Maßnahmen, Luftraumüberwachung, Presse- und Öffentlichkeitsarbeit, Diensthundepool mit 42 Sprengstoffsuch- und Schutzhunden, Spezialeinheiten, Technische Einsatzeinheiten etc.

Einsatzvorbereitungsbesprechungen	300
Verschweißte Kanaldeckel	400
Sperrgitter zur Abgrenzung der Wege	4.170
Sperrgitter - Gesamtlänge	11.220 m
Absperrungsseile	620
Absperrungsseile - Gesamtlänge	15.200 m
Fahrzeuge im Einsatz (Spitzen-Zeiten)	ca. 1.000
Motorräder	43
Polizeihubschrauber zur Luftüberwachung	9
Geschützte Panoramastrecken	13 km

Zeit zur Teilnahme am Gottesdienst hatte diese Sanitäts-
truppe der Bundeswehr.

Das Technische Hilfswerk war schon seit Wochen im Dauereinsatz.

Hilfsdienste

Sanitätsdienstliche Einsatzkräfte	1.447
davon	
BRK	390
Johanniter	110
Malteser Hilfsdienst (aus 15 Diözesen)	947
Fahrzeuge im Einsatz	360
davon	
Rettungswagen	22
Krankentransportwagen	15
Notarztwagen	4

183 Helfer zwischen 14 und 17 Jahren betreuten:

Rollstuhlfahrer	über 400
alte und behinderte Menschen	800
Behindertentransportfahrzeuge	22
Einsatzkräfte psychosoziale Versorgung	106

Zur Unterbringung der Einsatzkräfte und Versor-
gung von Patienten waren nötig:

Feldbetten	2.300
große Einsatzzelte	100

Der Einsatz wurde nahezu vollkommen ehrenamtlich geplant und durchgeführt. Dazu waren Hunderte von Einsatzbesprechungen erforderlich.

600.000 Halb-Liter Flaschen eines Apfelgetränks standen
Durstigen kostenlos zur Verfügung.

Siehst Du mich, Papa Benedikt?

Ein Familienfest des Glaubens

Die große Messe auf dem Islinger Feld

Als der Bischöfliche Baudirektor Paul Höschl um 7 Uhr morgens auf der Altarinsel stand, bekam er eine Gänsehaut. Unter dem blauen Himmelsgewölbe dehnten sich die 660 000 Quadratmeter des Islinger Feldes; der vordere Bereich war bereits mit Tausenden von Menschen besetzt. Von hier oben neben dem Altar hatte man einen guten Blick über die 36 Pilgerfelder. Wenn man geradeaus schaute, war hinter dem langgezogenen Areal die neue Kirche St. Franziskus in Burgweinting zu erkennen. Linkerhand ging der Blick über die Autobahn A3 und den Regensburger Stadtosten hin zur gelben Front des Kalkwerks. Rechts dominierte das wellige Grün der Landschaft, in der das Islinger Feld ausgebreitet lag wie ein riesiges Handtuch mit Längs- und Querstreifen.

Seit Februar diesen Jahres hatte sich Höschl um die Koordination und Umsetzung von Baumaßnahmen auf dem Islinger Feld gekümmert: Sein spezielles Arbeitsgebiet war die Gestaltung des Altarhügels, während Peter Kittel, Planungsbeauftragter der Diözese für den Papstbesuch, vornehmlich mit logistischen Fragen befasst war. Nach und nach hatte der liturgische Bereich Form angenommen: von der Aufschüttung des Hügels über die Errichtung des Islinger Kreuzes bis hin zur Überdachung des Altarbereichs mit einem Baldachin-Zelt. Nachdem Altar, Ambo und Cathedra ihren Platz gefunden hatten, blieb für Paul Höschl jetzt, am Morgen vor der Messe, nur noch ein letzter Arbeitsschritt zu tun: wichtige Kunstgegenstände aus Regensburger Kirchen, die während der Liturgie mit dem Papst Verwendung finden sollten, aufzustellen. Dazu gehörten ein um 1370/80 entstandenes Holzkruzifix aus der Schottenkirche, der Wolfgangsschrein mit den Gebeinen des Bistumspatrons – sonst in der Krypta der Emmeramskirche untergebracht – und die Schutzmantelmadonna aus der Dominikanerkirche, das zentrale Gnadenbild der Marianischen Männerkongregation, deren Ehrenmitglied Benedikt XVI. ist.

Wohin das Auge blickte – Chorröcke der Priester und Diakone

Die Mitfeiernden gehörten 16 Nationalitäten an.

Hunderte von alten und behinderten Menschen konnten dank vieler Hilfsorganisationen und Helfer
am Gottesdienst teilnehmen.

Wir freuen uns, dabei zu sein, denn ob der Papst einmal Indien besucht?

Derweil wuchsen die Pilgerströme immer weiter an. Die Stimmung war heiter und fröhlich, was auch in den Slogans zum Ausdruck kam, die auf dem Feld zu hören waren. „Benedikt aus Bayern – wir wollen mit dir feiern", rief eine Gruppe Jugendlicher beharrlich aus, während eine andere – ebenfalls in Reimen – antwortete: „Benedikt – von Gott geschickt". Viele der Papst-Wallfahrer hatten sich bereits in den frühen Morgenstunden auf den Weg gemacht, um nach Regensburg zu kommen. So auch die Amerikanerin Barbara Davis vom US-Militärstützpunkt Grafenwöhr, die mit ihrer ganzen Familie da war. „Wir leben in Deutschland, und deshalb sind wir stolz darauf, dass der Papst ein Deutscher ist", schwärmte sie. „Es ist ein Traum für uns, wir lieben Benedikt XVI. und wollen hier für den Frieden beten."

Die 60-jährige Irmentraud Ehrenreich trug den Papst sogar in ihrer Handtasche – auf einem Foto, das sie selbst bei einem Spaziergang mit dem damaligen Kardinal Joseph Ratzinger im Garten des Passionistenklosters Schwarzenfeld zeigt. Dort war der Kardinal früher häufig zu Gast, weil der Prior, Pater Martin Biallas, einer seiner Doktoranden an der Universität Regensburg gewesen war. Irmentraud Ehrenreich, die mit ihrem Mann in unmittelbarer Nähe des Klosters wohnt, hat den jetzigen Papst als „äußerst bescheidenen und liebenswürdigen Menschen" erlebt. Nach Regensburg kam sie trotz einer Fußverletzung: „Ich hab' mir gesagt, da muss ich hin, und wenn ich hinkrabble!"

Mariae Gloria, Fürstin von Thurn und Taxis, war formvollendet in Schwarz und mit einem schwarzen Spitzenschleier auf dem Islinger Feld erschienen. Die große Verehrerin Benedikts XVI. („Er ist mein Vorbild und mein Held") saß in der ersten Reihe des Prominentenblocks neben ihrer Mutter, Beatrix Gräfin von Schönburg-Glauchau, und ihrer guten Freundin aus Rom, Principessa Alessandra Borghese. Viele bekannte Namen standen auf der Gästeliste des Papst-Gottesdienstes, unter ihnen Ministerpräsident Edmund Stoiber und seine Frau Karin, die bayerischen Staatsminister Huber, Beckstein, Schneider und Müller, der deutsche Vatikanbotschafter Gerhard Westdickenberg, aber auch persönliche Freunde des Papstes wie Margarete und Reinhard Richardi. Auch die Schar der Konzelebranten bildete eine illustre Runde, darunter neun Kardinäle – angeführt von Kardinalsdekan Angelo Sodano –, der Nuntius in Deutschland, Erzbischof Erwin Ender, alle bayerischen Bischöfe sowie Benedikts Bruder, der frühere Domkapellmeister Georg Ratzinger.

Als Gäste des Ostkirchlichen Instituts nahmen hohe Würdenträger und Priester der einzelnen orthodoxen Kirchen am Gottesdienst teil.

Die zahlreich anwesenden Vertreter der Orthodoxie waren illustre Gäste ...

... an ihrer Spitze der Metropolit von Deutschland und Zentraleuropa (l.)

Um 9.29 Uhr brandete großer Applaus unter den mittlerweile weit über 200.000 Pilgern auf. Zum erstenmal war auf den Großbildleinwänden zu sehen, wie sich das Papamobil dem Islinger Feld näherte. Die Aufregung wuchs – was sich vor allem bei den Ministranten bemerkbar machte. Während die elfjährige Vanessa Heidenkampf aus Geisenfeld davon erzählte, dass sie bereits um halb drei Uhr morgens aufgestanden war, um mit den Ministranten ihrer Pfarrei nach Regensburg zu fahren, reckte sie immer wieder den Kopf, um nur ja nicht die Einfahrt des Heiligen Vaters zu verpassen. Sie freue sich „ganz toll", sagte sie atemlos, dass sie mit so vielen Menschen zusammen Gottesdienst feiern und den Papst persönlich sehen könne. Ihrem siebenjährigen Bruder Philipp, der zuhause geblieben war, wollte sie unbedingt davon erzählen, was sie hier gerade erlebte.

Wann kommt denn endlich das Papamobil?

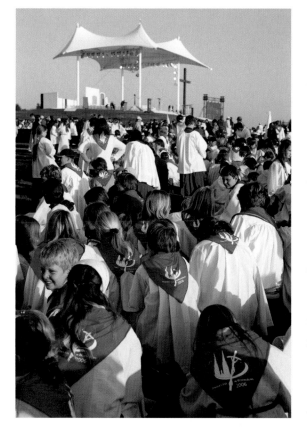

Philipp hat mittlerweile erfahren, dass Vanessa das Papamobil mit Benedikt XVI. trotz ihres langen Wartens fast nicht gesehen hätte. Denn kurz nach 9.32 Uhr, als eine Fanfare die Ankunft des Papstes auf dem Islinger Feld verkündet hatte, rief einer der Ministranten plötzlich laut: „Der Papst fährt an einer ganz anderen Stelle vorbei!" Woraufhin die ganze Gruppe nach rechts schwenkte und mit wehenden roten Röcken davonlief, nur um bald danach wieder zurückzukehren, weil sich das Ganze als Fehlalarm herausgestellt hatte. Nun war klar, genau hier hinter dem Absperrungszaun würde der Heilige Vater vorbeikommen. Im Moment befand sich das Papamobil aber noch weit weg, dort, wo die letzten Pilger standen. Die Großbildschirme zeigten, wie ein kleiner Regensburger Domspatz, der auf den Schultern von Domkapellmeister Roland Büchner saß, sich wie alle anderen die Augen aus dem Kopf schaute. Eine noch ganz winzige Ministrantin nutzte die Zeit, um ihre Freundin zu fragen: „Und was ist los, wenn das Papamobil kaputtgeht?" Einer der Erwachsenen erklärte schmunzelnd: „Dann gibt es ein Ersatzfahrzeug."

Wir dürfen dabei sein!

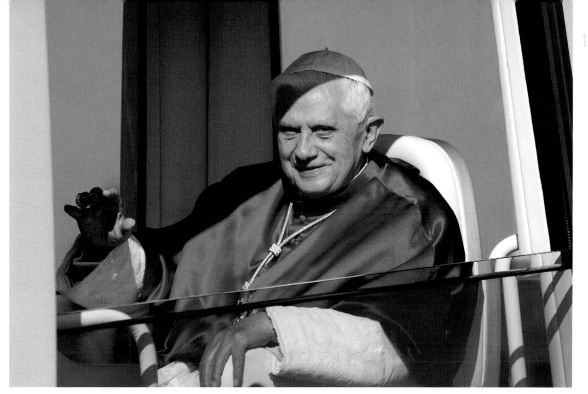

Nirgends habe Benedikt so gelöst gewirkt wie in Regensburg, hieß es allgemein.

Dass der Papst näherkam, konnte man zunächst nur akustisch wahrnehmen. Die Verwunderung darüber, dass es auf dem Islinger Feld doch relativ ruhig war für ein derartiges Ausnahmeereignis, wich der Einsicht, dass das Gelände viel zu weitläufig war, um die Jubelstürme, die an einer Stelle aufbrandeten, überall gleichzeitig zu hören. Doch jetzt, als das Papamobil bereits in die Straße vor dem Zaun eingebogen war, wurde das Klatschen und Rufen immer lauter. Einer der Ministranten hatte ein Handy gezückt und sprach hinein: „Es ist ziemlich toll hier, wir sind sehr nah dran." Andere Ministranten riefen versuchsweise „Benedetto, Benedetto", aber es kam noch ein bisschen zaghaft heraus angesichts des allgemeinen Trubels. Da machte ihnen eine Frau aus dem Hintergrund Mut: „Lauter, Ministranten, jetzt schreit's gscheit, Kinder!" Und wie aus einem Mund schallte es dem Papst entgegen: „BE–NE–DETTO, BE–NE–DETTO!"

Ob das Papamobil an mir vorbeifährt?

Als Benedikt XVI. um 10.07 Uhr den Altarraum oben auf dem fünf Meter hohen Hügel betrat, war das Islinger Feld ein einziges Fahnenmeer: Schweizerkreuze, das Rot-Weiß-Rot der Österreicher, das Schwarz-Rot-Gold der Deutschen, italienische und polnische Flaggen, die bayerische Rautenfahne, das orangefarbene Banner von „Jugend 2000" und das tiefe Blau der Marianischen Männerkongregation. Der Regensburger MMC-Präses, Prälat Heinrich Wachter, hatte wacker dafür gefochten, dass die ursprünglich einmal geplante Anweisung, mitgebrachte Banner eingerollt auf den Boden zu legen, wieder kassiert wurde. Der Begeisterung auf dem Islinger Feld hätte sonst ein wesentliches Element gefehlt.

„Himmlischer" Blick auf den Gottesdienst am Islinger Feld: Im Rund nahe dem Altar „strahlten" die weißen Chorröcke der 600 Priester und 17.000 Ministranten.

 ## Zahlen zum Islinger Feld

Islinger Feld

Gesamtfläche	660.000 m²
untergliedert in	36 Pilgerfelder
Belegung pro Pilger	0,75 m²
Vorderer bestuhlter Bereich	15.000 Stühle
Befestigte Straßen auf dem Feld	10 km Länge

Altarhügel

Kegelförmiger Erdwall	400 m Länge
Aufgeschüttetes Erdreich	30.000 m³
Höhe über dem Gelände	5 m
Höhe Cathedra über dem Gelände	6,84 m
Begehbare Fläche des Altarbereichs	1.600 m²
Areal Altarinsel	13 x 24,5 m

Dachkonstruktion

Überspannungsfläche	900 m²
Membranfolie	1.250 m²
Gewicht der tragenden Stahlkonstruktion	25 t
Stahlseillänge gesamt	820 m
Höhe der Dachkonstruktion	17 m

Kreuz

Höhe des großen Kreuzes	16 m
Länge des Querbalkens	8 m
Querschnitt der Konstruktion	60 x 60 cm
Gewicht des Kreuzes	10 t
Stahlbetonfundament	3 x 3 m und 1,5 m Höhe
Kreuzungspunkt gehalten von	12 Schrauben
Schwingung an der Spitze bis zu	15 cm

 ## Menschen auf dem Feld

Mitfeiernde

Gottesdienstteilnehmer	250.000
Priester und Diakone	600
Ministranten	17.000
Fackelträger um den Altar	150
Teilnehmende Nationen	16

Helfer

Auf und um das Feld waren tätig	4.500
Jüngster Helfer	15 Jahre
Ältester Helfer	68 Jahre
Einsatzzeit zwischen	8 und 48 Stunden

Musik

Hauptchor	240 Personen

aufgeteilt in:

Domchor	110 Domspatzen

und Chor der Regensburger Hochschule für Katholische Kirchenmusik, ehemalige Studenten/innen der Hochschule und hauptberufliche Kirchenmusiker/innen des Bistums Regensburg

Bläserensemble	19 Personen
Gemeindechor	200 Sänger

Nur im Schritt-Tempo kam das Papamobil voran.

Der Festchor: links die Domspatzen, rechts der Chor der Hochschule für Kath. Kirchenmusik, ergänzt durch Kirchenmusiker der Diözese

Musikalische Gemeinschaftserlebnisse

Die Bläser hatten inzwischen die eigens zum Papst-Gottesdienst komponierte Intrade zu spielen begonnen. Diözesan-Musikdirektor Christian Dostal verband darin die Melodie des ebenfalls von ihm komponierten Liedes „Wer glaubt, ist nie allein" mit einer festlichen Fülle des Wohllauts. Dostal hatte die musikalische Gesamtleitung beim Pontifikalamt auf dem Islinger Feld. Das insgesamt 569-köpfige Ensemble setzte sich zusammen aus den Regensburger Domspatzen (Einstudierung und Leitung: Domkapellmeister Roland Büchner), dem Chor der Hochschule für Kirchenmusik, vereinigt mit hauptamtlichen Kirchenmusikern des Bistums (Einstudierung und Leitung: Professor Kunibert Schäfer), einer Bläsergruppe (Einstudierung und Leitung: Regionalkantor Thomas Löffelmann) sowie einem so genannten „Gemeindechor", der die Stimmen der Gottesdienstbesucher vor den Mikrophonen von Rundfunk und Fernsehen vertrat (Einstudierung und Leitung: Karl-Heinz Liebl). An der Orgel war Domorganist Professor Franz Josef Stoiber. Die aufgeführten Werke reichten von Tomas Luis de Victoria bis zu Karl Norbert Schmid. Neben Christian Dostal hatten auch Wolfram Menschick, Franz Josef Stoiber, Otmar Faulstich und Kunibert Schäfer Neukompositionen beigesteuert.

Gleich nach der Bläserintrade erlebte das Papstlied „Wer glaubt, ist nie allein" seine eigentliche Premiere. Zwar war das im Auftrag des Bistums entstandene Stück (der Text von Hagen Horoba stützt sich auf Worte und Gedanken des Heiligen Vaters) bereits im April der Öffentlichkeit präsentiert und seitdem immer wieder in den Kirchen gesungen worden. Aber das alles waren „Trainingseinheiten" im Vergleich zum heutigen Gottesdienst. Eine knappe Viertelmillion Pilger drängte sich im weiten Areal um den Altar – und sie alle stimmten ein. Fast unisono berichteten Teilnehmer anschließend über das Gänsehautgefühl beim Singen des Refrains: „Wer glaubt, ist nie allein! Du, Herr, wirst mit uns sein, mit deiner Kraft, die Leben schafft. Wer glaubt, ist nie allein!" Der Heilige Vater sprach allen aus der Seele, als er bei seinen Eingangsworten zur Messe die Brücke von diesem musikalischen Gemeinschaftserlebnis zurück zu den Motiven seiner Pastoralreise schlug. Die Gläubigen verkörperten schon durch ihre schiere Zahl das Motto des Papst-Besuchs, doch indem sie das Lied, das daran anknüpft, sangen, war die Freude fast körperlich spürbar. Benedikt: „Ja, wir freuen uns, dieses Fest des Glaubens feiern zu können."

Mottolied der Diözese Regensburg
zum Besuch von Papst Benedikt XVI. im September 2006:

"Wer glaubt, ist nie allein!"

2. Du rufst Petrus, deinen Jünger, / einen Felsen, der uns trägt: /
   Als Fischer, als Menschenhirt, / führe zusammen, was sich verirrt, /
   in Zeit und Ewigkeit!

3. Du willst Menschen, die dir folgen / auf dem Weg, der Liebe heißt. /
   Bleib bei uns mit deinem Geist, / Zukunft und Hoffnung er uns verheißt /
   in Zeit und Ewigkeit!

4. Du bist Hoffnung allen Menschen auf den Straßen dieser Welt. /
   Gib Frieden und Einigkeit! / Schenk uns die Wahrheit, die uns befreit, /
   in Zeit und Ewigkeit!

5. Du bist Christus, Tür zum Leben, / du gibt alles, du nimmst nichts. /
   Die Liebe ist deine Macht. / Bleib, Herr, bei uns bei Tag und bei Nacht /
   in Zeit und Ewigkeit!

Text: Hagen Horoba; Melodie: Christian Dostal

Viele Bischöfe feierten - in golden-strahlenden Gewändern - mit dem Pontifex den Gottesdienst.

Auf dem Weg zum Altar begrüßte Papst Benedikt lange und herzlich die jubelnden Menschen.

Vor Beginn der eigentlichen Liturgie hatte Bischof Gerhard Ludwig Müller den Papst begrüßt. Dass er das „im Namen der hier versammelten Pilger aus nah und fern", vor allem aber auch der 17.000 Ministranten und Ministrantinnen tat, wurde von diesen mit lautem Beifall quittiert. Müller erinnerte daran, dass das Oberhaupt der katholischen Kirche Nachfolger Petri, Stellvertreter Christi und „das sichtbare Haupt der ganzen Kirche" ist. An Benedikt XVI. gewandt, fuhr er fort: „Ihnen hat Christus aufgetragen, zusammen mit den Nachfolgern der Apostel im Bischofsamt als Hirten die Menschen zu leiten, sie zu lehren und zu heiligen. Ihnen gilt insbesondere der Auftrag des auferstandenen Herrn an den Apostelfürsten: ‚Weide meine Lämmer, weide meine Schafe'! Wir danken Ihnen für das Geschenk des Pastoralbesuches in Stadt und Bistum Regensburg. Mit dem Herzen des guten Hirten führen Sie die Herde Gottes auf die Weide des Wortes und der Gnade. Durch Ihren Mund will Gott sein Evangelium der Liebe allen Menschen verkünden. Durch Ihre Hände bringt der Hohepriester Christus in dieser Eucharistie das Opfer des neuen und ewigen Bundes dar. Wir möchten den Auftrag, den Jesus, unser Herr, im Abendmahlssaal dem Apostel Petrus erteilt hat, heute als Bitte an seinen Nachfolger richten: Heiliger Vater, stärke Deine Brüder und Schwestern im Glauben an Jesus Christus, unseren Herrn! Amen."

Festlicher Papstgottesdienst auf der Altarinsel in Ostbayerns großer „Freiluft-Kathedrale".
Die ultramarinblaue Altarwand war ein weithin sichtbarer Fixpunkt des Geschehens.

Nach „Kyrie", „Gloria" und Wortgottesdienst hielt Benedikt XVI. unter einem strahlend blauen Himmel seine Predigt. „Der Glaube führt uns zusammen und schenkt uns ein Fest", sagte der Papst beim Blick über die Menschenmenge. Er dankte den tausenden Helfern dafür, „dass wir jetzt alle so beieinander sein können", und erwähnte gesondert diejenigen, die dazu beitrugen, „mein kleines Haus in Pentling und meinen Garten schön zu machen". Seinem „Vergelt's Gott" fügte er bescheiden hinzu: „Ihr habt das alles nicht nur für einen einzelnen Menschen, für meine armselige Person

getan – ihr habt es im letzten in der Solidarität des Glaubens getan, euch von der Liebe zum Herrn und zur Kirche leiten lassen."

Damit war Benedikt XVI. schon beim Thema seiner Predigt – der Glaube, nicht ein kompliziertes theologisches System, sondern eine Botschaft, die „in ihrem Kern ganz einfach ist": „Wir glauben an Gott – an Gott, den Ursprung und das Ziel des menschlichen Lebens. An den Gott, der sich auf uns Menschen einlässt, der uns Herkunft und Zukunft ist. So ist der Glaube immer zugleich Hoffnung, Gewissheit, dass wir Zukunft haben und dass wir nicht ins Leere fallen. Und der Glaube ist Liebe, weil Gottes Liebe uns anstecken will."

Christen glauben daran, dass Gott die Welt erschaffen hat. Diese Überzeugung verteidigte der Papst gegen Versuche bei einem Teil der Wissenschaft, „eine Welterklärung zu finden, in der Gott überflüssig wird". Doch immer wieder zeige sich: „Das geht nicht auf, die Sache mit den Menschen geht nicht ohne Gott." Letztlich habe man sich zwischen zwei Alternativen zu entscheiden: „Was steht am Anfang? Die schöpferische Vernunft, der Schöpfergeist, der alles wirkt und sich entfalten lässt, oder das Unvernünftige, das vernunftlos sonderbarerweise einen mathematisch geordneten Kosmos hervorbringt?" Benedikts Antwort war klar: „Wir glauben, dass das ewige Wort, die Vernunft, am Anfang steht, und nicht die Unvernunft."

„Wir glauben an Gott. Das ist unsere Grundentscheidung. Der Glaube ist immer zugleich Hoffnung – Gewissheit, dass wir Zukunft haben."

Blick über den „Priester-Block" zur Altarinsel

Vernunft ist für Benedikt aber keine kalte Vernünftigkeit – im Gegenteil: „Diese schöpferische Vernunft ist Güte, sie ist Liebe, sie hat ein Gesicht – Gott lässt uns nicht im Dunkeln tappen, er hat sich gezeigt als Mensch." Mit diesem Gottesbegriff will der Papst dem modernen Menschen ein Mittel an die Hand geben, das ihn befreit „von der Weltangst und von der Furcht vor der Leere des eigenen Daseins". So gelingt es dem Theologen Ratzinger sogar, der katholischen Lehre vom

Jüngsten Gericht ihren Schrecken zu nehmen. Auf dem Islinger Feld interpretierte er das Gericht Gottes als eine „Herstellung des Rechts", als „Zusammenfügung der scheinbar sinnlosen Fragmentstücke der Geschichte in ein Ganzes hinein, in dem die Wahrheit und die Liebe regieren". Fazit: „Der Glaube will uns nicht Angst machen, wohl aber zur Verantwortung rufen. Unrecht darf uns nicht gleichgültig lassen, wir dürfen nicht seine Mitläufer oder sogar Mittäter werden."

So sahen der Papst und seine Sicherheitsbeamten von der Altarinsel aus die Menschenmenge.

Zum Schluss seiner Predigt tat Benedikt XVI. etwas, was ihm sofort die Herzen gewann. Er gratulierte allen anwesenden Marias zum Namenstag: „Wir feiern heute das Fest Mariä Namen. So möchte ich all den Frauen, die diesen Namen tragen, meine herzlichen Segenswünsche zu diesem ihrem Festtag aussprechen; meine Mutter und meine Schwester gehören dazu." Auch diese Geste stärkte das große Gemeinschaftsgefühl auf dem Islinger Feld und unterstrich noch einmal, was der Papst in seiner Predigt zuvor über die Taufe gesagt hatte: „Taufe bedeutet, dass Jesus Christus uns sozusagen als seine Geschwister und damit als Kinder in die Familie Gottes selber hinein adoptiert. So macht er uns damit alle zu einer großen Familie in der weltweiten Gemeinschaft der Kirche. Ja, wer glaubt, ist nie allein. Gott geht auf uns zu. Gehen auch wir Gott entgegen, dann gehen wir zu aufeinander."

Der Gedanke der Kirche als Familie setzte sich fort in den Fürbitten, deren sechs Sprecher ein großes Spektrum abdeckten: Alt und Jung, Mann und Frau, Theologe und Laie. Eine der vier beteiligten Frauen, Jitka Bonk, hielt eine Fürbitte in Tschechisch – auch als Reminiszenz an die größte ausländische Besuchergruppe, die mit dem Prager Kardinal Miroslav Vlk und dem Pilsener Bischof František Radkovský unter den Konzelebranten vertreten war. Die Fürbitte lautete: „Erleuchte die Herzen der Verantwortlichen in Politik und Wirtschaft, in Wissenschaft und Kultur, die am gemeinsamen Haus Europa bauen, dass sie sich dankbar der Freiheit bewusst werden, die uns geschenkt und aufgegeben ist, dass sie ihre Verantwortung vor Gott und den Menschen annehmen und entschieden aus der christlichen Wurzel leben, damit Gerechtigkeit, Friede und Versöhnung wachsen."

Die letzte Fürbitte sprach Professor Ulrich Hommes, einer der besten persönlichen Freunde Benedikts XVI.: „Erhöre unser Gebet für die verstorbenen Angehörigen des Heiligen Vaters, seine Eltern und seine Schwester.

Schenke allen dein Erbarmen, die uns in die Heimat des Himmels vorausgegangen sind. Vergilt all das Gute, das wir durch sie erfahren durften und gib ihnen in der Gemeinschaft der Heiligen Anteil an der Fülle des Lebens." Mit dieser Fürbitte wurde noch einmal der Bogen gespannt zwischen dem pastoralen Anliegen des Papstes und der Rückkehr zu seinen biographischen Wurzeln – vereint in einem liturgischen Text, der Privates und Allgemeines auf wunderbare Weise miteinander versöhnt.

Zu einem der eindrucksvollsten Erlebnisse des großen Gottesdienstes wurde die Gabenbereitung. Würdevoll schritten die Überbringer den mit 1000 weißen Lilien geschmückten Altarhügel hinauf. An der Spitze der kleinen Prozession gingen Philipp Graf von und zu Lerchenfeld und Michael Maier. Als Vorsitzender und Vorstandsmitglied repräsentierten sie das Diözesankomitee. Sie überreichten eine Statue des heiligen Wolfgang, die der 2002 verstorbene Regensburger Künstler Max Reiger geschaffen hatte. Graf Lerchenfeld sprach dazu die Worte: „Heiliger Vater, wir legen Ihnen

Philipp Graf von und zu Lerchenfeld, Vorsitzender des Diözesan-Kommitees, und sein Stellvertreter Michael Maier überreichten dem Papst eine Wolfgangsstatue; ihnen folgten weitere Laien mit den Opfergaben.

das Bistum zu Füßen." Ebenfalls für das Diözesankomitee trat Vorstandsmitglied Ingrid Wagner vor den Papst. In einer Schatulle übergab sie einen Scheck, der dem Projekt „Baustein für Nazareth" zugute kommen soll. Die Geldsumme ist das Ergebnis einer Spendensammlung, die im ganzen Bistum durchgeführt wurde, um die Christen im Heiligen Land zu unterstützen.

Zwei weitere Gruppen überreichten dann die liturgischen Gaben: Hostienschalen, Wein und Wasser. Daran beteiligt waren Fürst Albert von Thurn und Taxis, Michael Eibl, der Direktor der Katholischen Jugendfürsorge Regensburg, Ordinariatsrätin Maria Luisa Oefele, Ordensreferentin im Bistum, Martin Haltmayr als Vertreter des Diözesanpastoralrates, Diözesan-Pilgerführer Bernhard Meiler und Sr. Marion Schnödt, Generaloberin der Mallersdorfer Schwestern, die das Altartuch gefertigt hatten.

Auch die 50 Gläubigen, die vom Heiligen Vater persönlich die Kommunion empfangen durften, werden diesen Augenblick wohl nie vergessen. Der Regensburger Oberbürgermeister Hans Schaidinger sorgte dabei auf dem Islinger Feld wie bei den Fernsehzuschauern für Aufsehen, weil er mit Gipsbein und Krücken zum Altar hinauf humpelte. Doch für den CSU-Mann und Präsidenten des Bayerischen Städtetags war das eine Ehrensache! Anrührend war die Kommunionausteilung aber auch für die Gläubigen auf dem weiten Gelände. 600 Priester und Diakone, von Ministranten mit weißgelben Schirmen begleitet, gingen hinaus zu den Pilgern, um ihnen den Leib Christi zu spenden. So wie die Pilger von überall her aufs Islinger Feld geströmt waren, so schwärmten jetzt die Hostienträger aus – und das, was sie brachten, war wie die Antwort auf eine tausendfach gestellte Frage.

Konzelebration mit Kardinal Lehmann, Bischof Müller, Erzbischof Marini, dem Zeremoniar, Kardinal Sodano und Kardinal Wetter

Aufstellung der 150 Fackelträger zum Hochgebet

Aufstellung der Priester und Diakone zur Kommunionausteilung

An 50 Personen teilte der Papst selbst die Kommunion aus.

Jeder der 500 Kommunionspender wurde begleitet von einem Ministranten, der mit einem gelbweißen Schirm den Standort signalisierte.

Das Bild der Schutzmantelmadonna aus Regensburgs Dominikanerkirche stand auf der Altarinsel.

Dank an die „Blumenkinder"

Wegen des Festes Mariä Namen stand am Ende des Gottesdienstes ein feierliches Marienlob. Zu den 20 Kindern, die aus diesem Grund die Schutzmantelmadonna schmücken durften, gehörten auch die beiden Söhne von Baudirektor Paul Höschl, der achtjährige Lukas und der elfjährige Jonas. Immer zu zweien legten die Knirpse ihre weiß-blauen Sträuße nieder. Erst nachdem sich der Papst bei jedem der „Blumenkinder"

per Handschlag bedankt hatte, trat er vor das Madonnenbild und sprach sein Gebet: „Unter deinen Schutz und Schirm fliehen wir, heilige Gottesmutter. Verschmähe nicht unser Gebet in unseren Nöten, sondern errette uns jederzeit aus allen Gefahren, o du glorwürdige und gebenedeite Jungfrau, unsere Frau, unsere Mittlerin, unsere Fürsprecherin." Dann sangen alle „Maria breit den Mantel aus" – wieder so ein „Gänsehaut"-Moment, bei dem vielen Gläubigen die Tränen in den Augen standen.

20 Kinder trugen am Ende der Papstmesse Blumen zum Bild der Schutzmantelmadonna.
Mit besonderer Herzlichkeit widmete sich ihnen der Papst.

Der Gottesdienst ist zu Ende, ein unvergessliches Erlebnis, wohl auch für Benedikt XVI.

Immer wieder segnete er die Tausende und damit auch das ganze Bistum.

Der Papst nahm bewegt Abschied von den Gläubigen. Er wurde mit großem Jubel und Fahnenschwenken bedankt.

Kinder sind immer Benedikts besondere Freude. Sie sind ja auch die Zukunft der Kirche.

Als nach dem Segen und nach dem „Te Deum" der Schlussapplaus losbricht, da ist es genau 12.16 Uhr. Benedikt XVI. verabschiedet sich mit einer großen Geste über das Islinger Feld, auf dem ein Fahnenmeer wogt. Die Menschen pfeifen, sie klatschen, sie jubeln. Und Generalvikar Michael Fuchs wird kurz danach auf einer Pressekonferenz sagen: „Wir haben einen großen Gottesdienst hinter uns – wir haben ein Stück Himmel erlebt."

Das ist es, was in Erinnerung bleiben wird, „ein Stück Himmel", das darin liegt, dass Benedikt XVI. verkündet hat: „Der Glaube ist einfach."

Schmuckstücke auf dem Papst-Altar

Der Altar, gefertigt von Helmut Langhammer und Alfred Böschl, wird in der Kirche von Pentling dauerhaft installiert. Deshalb gliederte er sich in drei Bauteile: Das Mittelstück aus Kelheimer Auerkalkstein in der passenden Dimension für Pentling und zwei beidseitig zugestellte Elemente aus Holz, verkleidet mit Bronzeblech. So hatte der Altar eine Gesamtlänge von 3,50 m.

Das Altartuch fertigten Mallersdorfer Schwestern.

Der Ambo war ebenfalls eine Koproduktion Langhammer/Böschl in den gleichen Materialien wie der Altar.

Die Cathedra stand ehemals im Dom, heute im Diözesanmuseum St. Ulrich. Sie ist aus Kalkstein gefertigt und mit Bronzeapplikationen versehen. Das päpstliche Wappen wurde in die Rückenlehne eingearbeitet.

Das kleinere Altarkreuz von 1370/80 stammt aus der Schottenkirche St. Jakob in Regensburg. Gestützt durch eine Stahlkonstruktion, war es neben dem Altar aufgebaut.

Der Wolfgangsschrein: Vor dem Altar stand der Reliquienschrein des Hauptpatrons der Diözese, des hl. Wolfgang, aus der Basilika St. Emmeram in Regensburg. Bei Wolfgangs Heiligsprechung war vor 950 Jahren mit Papst Leo IX. zum ersten Mal ein Papst in Regensburg.

Die Schutzmantelmadonna von etwa 1460/70, seit 1950 in einem neuen Schrein, stammt aus der Dominikanerkirche in Regensburg. Sie stand etwas seitlich unter dem Ambo.

Der Kelch, sogenannter Wolfgangskelch aus dem Regensburger Domschatz, stammt aus der Zeit um 1250/60. Am Fuß ist er mit sechs Rundmedaillons geschmückt.

Die Glocke ist eine der ältesten Glocken des Bistums, entstanden um 1240. Sie hing im früheren Glockenturm von St. Ulrich. Ihr heller Ton erklang bei der Wandlung.

Der Blumenschmuck: 1.000 weiße Lilien aus der nahe gelegenen Gärtnerei Bendler, nachts gesteckt und wunderschön arrangiert.

Die Predigt des Papstes beim Gottesdienst auf dem Islinger Feld

„Der Glaube ist einfach"

Liebe Brüder und Schwestern!

„Wer glaubt, ist nie allein", lautet das Leitwort dieser Tage. Wir sehen es hier. Der Glaube führt uns zusammen und schenkt uns ein Fest. (...) Ich weiß, dass diesem Fest viel Mühe und Arbeit vorangegangen ist. Durch die Berichte der Zeitungen habe ich ein wenig verfolgen können, wie viele Menschen ihre Zeit und ihre Kraft eingesetzt haben, damit dieser Platz so würdig bereitet wurde (...). Für all dies kann ich nur einfach ein ganz herzliches Vergelt's Gott sagen. Möge der Herr Euch all das lohnen, und möge die Freude auf jeden einzelnen 100fach zurückfallen, die wir dank Eurer Vorarbeit hier empfangen dürfen. Es ist mir zu Herzen gegangen zu hören, wie viele Menschen, besonders aus den Berufsschulen Weiden und Amberg, Firmen und einzelne, Männer und Frauen, zusammengearbeitet haben, um Haus und Garten bei mir schön zu machen. Auch da kann ich nur ganz beschämt Vergelt's Gott sagen ob all dieser Mühe. Ihr habt das alles nicht nur für einen einzelnen Menschen, für meine armselige Person getan; Ihr habt es in der Solidarität des Glaubens getan, Euch von der Liebe zum Herrn und zur Kirche leiten lassen: All dies ist ein Zeichen wahrer Menschlichkeit, die aus dem Berührtsein durch Jesus Christus wächst.

Zu einem Fest des Glaubens sind wir zusammengekommen. Aber da steigt nun doch die Frage auf: Was glauben wir denn da eigentlich? Was ist das, Glaube? Kann es das eigentlich noch geben in der modernen Welt? Wenn man (...) an die Menge der Bücher denkt, die jeden Tag für und gegen den Glauben verfasst werden, möchte man wohl verzagen und denken, das sei alles zu kompliziert. Vor lauter Bäumen sieht man am Ende den Wald nicht mehr. Es ist wahr: Die Vision des Glaubens umfasst Himmel und Erde, Vergangenheit, Gegenwart, Zukunft, Ewigkeit und ist insofern gar nie auszuschöpfen. Und doch ist sie in ihrem Kern ganz einfach. Der Herr sagt ja zum Vater darüber: „Den Einfachen hast du es offenbaren wollen – denen, die mit dem Herzen sehen können" (vgl. Mt 11, 25). Die Kirche bietet uns ihrerseits eine kleine Summe an, in der alles Wesentliche gesagt ist: das sogenannte Apostolische Glaubensbekenntnis. (...) In seiner Grundkonzeption besteht das Bekenntnis nur aus drei Hauptstücken, und es ist von seiner Geschichte her nichts anderes als eine Erweiterung der Taufformel, die der auferstandene Herr den Jüngern für alle Zeiten übergeben hat, als er ihnen sagte: Geht hin, lehrt und tauft alle Völker auf den Namen des Vaters, des Sohnes und des Heiligen Geistes (Mt 28, 19).

Wenn wir das sehen, dann zeigt sich zweierlei: Der Glaube ist einfach. Wir glauben an Gott – an Gott, den Ursprung und das Ziel menschlichen Lebens. An den Gott, der sich auf uns Menschen einlässt, der uns Herkunft und Zukunft ist. So ist Glaube immer zugleich Hoffnung, Gewissheit, dass wir Zukunft haben und dass wir nicht ins Leere fallen. Und der Glaube ist Liebe, weil Gottes Liebe uns anstecken will.

(...) Das Glaubensbekenntnis ist nicht eine Summe von Sätzen, nicht eine Theorie. Es ist ja verankert im Geschehen der Taufe – in einem Ereignis der Begegnung von Gott und Mensch. Gott beugt sich über uns Menschen im Geheimnis der Taufe; er geht uns entgegen und führt uns so auch zueinander. Denn Taufe bedeutet, dass Jesus Christus uns sozusagen als seine Geschwister und damit als Kinder in die Familie Gottes selber adoptiert. So macht er uns damit alle zu einer großen Familie in der weltweiten Gemeinschaft der Kirche. Ja, wer glaubt, ist nie allein. Gott geht auf uns zu. Gehen auch wir Gott entgegen, und gehen wir so aufeinander zu. (...)

Wir glauben an Gott. Das ist unser Grundentscheid. Kann man das heute noch? Ist das vernünftig? Seit der Aufklärung arbeitet wenigstens ein Teil der Wissenschaft emsig daran, eine Welterklärung zu finden, in der Gott überflüssig wird. (...) Aber sooft man auch meinen konnte, man sei nahe daran, es geschafft zu haben – immer wieder zeigt sich: Das geht nicht auf. Die Sache mit dem Menschen geht nicht auf ohne Gott, und die Sache mit der Welt, dem ganzen weiten Universum, geht nicht auf ohne ihn. Letztlich kommt es auf die Alternative hinaus: Was steht am Anfang: die schöpferische Vernunft, der Geist, der alles wirkt und sich entfalten lässt, oder das Unvernünftige, das vernunftlos sonderbarerweise einen mathematisch geordneten Kosmos hervorbringt und auch den Menschen, seine Vernunft. Aber die wäre dann nur ein Zufall der Evolution und im letzten also doch auch etwas Unvernünftiges. Wir Christen sagen: Ich glaube an Gott, den Schöpfer des Himmels und der Erde – an den Schöpfergeist. Wir glauben, dass das ewige Wort, die Vernunft am Anfang steht und nicht die Unvernunft. (...)

Wir glauben an Gott. (...) Aber nun folgt sofort die zweite Frage: An welchen Gott? Nun, eben an den Gott, der Schöpfergeist ist, schöpferische Vernunft, von der alles kommt und von der wir kommen. (...) Diese schöpferische Vernunft ist Güte. Sie ist Liebe. Sie hat ein Gesicht. Gott lässt uns nicht im Dunklen tappen. Er hat sich gezeigt als Mensch. (...) Er liebt uns bis dahin, dass er sich für uns ans Kreuz nageln lässt, um die Leiden der Menschheit bis an Gottes Herz hinaufzutragen. Heute, wo wir die Pathologien und die lebensgefährlichen Erkrankungen der Religion und der Vernunft sehen, die Zerstörungen des Gottesbildes durch Hass und Fanatismus, ist es wichtig, klar zu sagen, welchem Gott wir glauben und zu diesem menschlichen Antlitz Gottes zu stehen. Erst das erlöst uns von der Gottesangst, aus der letztlich der moderne Atheismus geboren wurde. Erst dieser Gott erlöst uns von der Weltangst und von der Furcht vor der Leere des eigenen Daseins. (...)

Der zweite Hauptteil des Bekenntnisses schließt mit dem Ausblick auf das Letzte Gericht und der dritte mit dem auf die Auferstehung der Toten. Gericht – wird uns da nicht doch wieder Angst gemacht? Aber wollen wir nicht alle, dass einmal all den ungerecht Verurteilten, all denen, die ein Leben lang gelitten haben und aus einem Leben voller Leid in den Tod gehen mussten, Gerechtigkeit widerfährt? Wollen wir nicht, dass am Ende das Übermaß an Unrecht und Leid, das wir in der Geschichte sehen, sich auflöst; dass alle am Ende froh werden können, dass das Ganze Sinn erhält? Diese Herstellung des Rechts, diese Zusammenfügung der scheinbar sinnlosen Fragmentstücke der Geschichte in ein Ganzes hinein, in dem die Wahrheit und die Liebe regieren: Das ist mit dem Weltgericht gemeint. Der Glaube will uns nicht angst machen, wohl aber zur Verantwortung rufen. Wir dürfen unser Leben nicht verschleudern, nicht missbrauchen, nicht für uns selber nehmen; Unrecht darf uns nicht gleichgültig lassen, wir dürfen nicht seine Mitläufer oder sogar Mittäter werden. (...)

Wir feiern heute das Fest Mariä Namen. So möchte ich all den Frauen, die diesen Namen tragen, meine herzlichen Segenswünsche zu diesem ihrem Festtag aussprechen; meine Mutter und meine Schwester gehören dazu. Maria, die Mutter des Herrn, hat vom gläubigen Volk den Titel Advocata erhalten und ist unsere Anwältin bei Gott. (...) Heute haben wir im Evangelium gehört, wie der Herr sie dem Lieblingsjünger und in ihm uns allen zur Mutter gibt. Die Christen haben zu allen Zeiten dankbar dieses Vermächtnis Jesu aufgenommen und bei der Mutter immer wieder die Geborgenheit und die Zuversicht gefunden, die uns gottesfroh werden lässt. Nehmen auch wir Maria als den Stern unseres Lebens an, der uns in die große Familie Gottes hineinführt. Ja, wer glaubt, ist nie allein. Amen.

Pressekonferenz unter Leitung von Generalvikar Michael Fuchs nach dem Gottesdienst mit (v. l.):
Philip Hockerts, Bischöfliche Pressestelle; Siegfried Schneider, Bayer. Staatsminister für Unterricht und Kultus;
Dr. Günther Beckstein, Bayer. Staatsminister des Inneren; Generalvikar Michael Fuchs; Oberbürgermeister Hans Schaidinger;
Philipp Graf von und zu Lerchenfeld, Vorsitzender des Diözesankomitees;
Manfred Weber, Landesvorsitzender der bayer. JU und MdEP

„Die Freude der Gläubigen ist riesengroß". Generalvikar
Michael Fuchs war einer der Hauptverantwortlichen für die
Organisation des Papstbesuchs.

Medien

Journalisten

In Regensburg vor Ort	1.000
Darunter Fotografen	200

Bayerischer Rundfunk

Übertragungswagen	21
Satellitenübertragungswagen	13
Schnittmobile	9
Kameras	245
Seilkameras	3
Hüftkameras	12
Turmkameras	6
Kamerakräne	14
Steiger	11

Dafür wurden verlegt:

Kamerakabel	120 km
Glasfaserkabel	5 km

Papst Benedikt und sein „Schatten",
der Vatikanfotograf Arturo Mari

Eine Vorlesung mit Folgen

Die Begegnung des Papstes mit Wissenschaftlern im Auditorium Maximum der Universität Regensburg

Benedikt-Kenner Peter Seewald hatte bereits am Montagabend im Bayerischen Fernsehen gemutmaßt, der kommende Tag der großen Messe auf dem Islinger Feld werde sicher ein weiterer Höhepunkt werden, und dann prophetisch hinzugefügt: „... wenn nicht der zentrale Moment auf der Bayern-Reise des Papstes." Zu diesem Zeitpunkt konnte der Journalist und Buchautor nicht wissen, welche Wellen die Universitäts-Vorlesung des Pontifex über „Glaube und Vernunft" in der islamischen Welt schlagen sollte. Und auch im Jubel des Regensburger Spätsommertages an diesem historischen 12. September hätte wohl niemand gedacht, welche Schlagzeilen wenige Tage später die Weltpresse beherrschen würden.

Doch eins nach dem andern. Hunderte begeisterte Benedetto-Fans standen auch jetzt wieder an den Straßen, als der Papst kurz vor 16.40 Uhr das Papamobil bestieg, um vom Bismarckplatz aus Richtung Universitäts-Hügel zu fahren. Die Rückkehr an seinen ehemaligen akademischen Wirkungsbereich – wenigstens eine nachmittägliche Stunde lang – war ihm ein besonderes Anliegen gewesen, was Privatsekretär Georg Gänswein schon daran gemerkt hatte, dass sein Chef sich mit roten Ohren in die Abfassung des Vorlesungsmanuskripts stürzte. „Professor Ratzinger zieht die Summe seines theologischen Denkens" sollte am nächsten Morgen eine deutsche Tageszeitung schreiben.

Bei seiner Ankunft auf dem Campus wird der frühere Ordinarius für Dogmatik und Dogmengeschichte (1969-1977) so manches Déja-vu-Erlebnis gehabt haben – so, als er über den Holzsteg an der Südwestecke der Zentralbibliothek fuhr, oder auch, als das Papamobil auf die „Universitätskugel" – Wahrzeichen der Regensburger Uni und Symbol der allumfassenden Wissenschaft – zurollte. Nach der Begrüßung durch Rektor Professor Alf Zimmer und Bayerns Wissenschaftsminister Dr. Thomas Goppel ging der Papst mit seinem Gefolge durch die glasbesetzten Schwingtüren – wieder so ein Moment der Erinnerung – ins Foyer des Auditorium Maximum. Eine Gruppe von Studenten aus allen Fakultäten hatte sich als Begrüßungskomitee aufgestellt – Benedikt schüttelte jedem der jungen Damen und Herren die Hand und nahm sich sogar Zeit für kurze Gespräche. Ähnlich freundlich die Atmosphäre ein paar Meter weiter, wo die „Jazznuts", ein 25-köpfiger Studentenchor, warteten, um den Pontifex mit dem Spiritual „Plenty Good Room" zu empfangen.

Wer geglaubt hatte, der Papst werde in den heiligen Betonhallen der Regensburger Gelehrtenrepublik weniger herzlich willkommen geheißen als in den Straßen der Stadt oder auf dem Islinger Feld, der musste sich jetzt korrigieren lassen. Unter den Klängen des „Gratias agimus tibi" aus dem „Gloria" von Bachs h-Moll-Messe betrat Benedikt XVI. das Audimax. Begleitet vom Beifall der 1500 geladenen Gäste schritt er die Stufen zur Bühne hinab, wo er stehenblieb, bis Universitätschor und -orchester den bewegenden Dankgesang beendet hatten. Als der Papst sich dem Publikum zuwandte – nach einer Geste der Anerkennung für Dirigent Christian Kroll – wurde der Applaus zur stehenden Ovation.

Als Papst kehrte der einstige Professor für Dogmatik und Dogmengeschichte an der Kath.-Theol. Fakultät der Universität Regensburg, Joseph Ratzinger, noch einmal an die Alma Mater zurück.

Rektor Zimmer
und die „katholische" Wissenschaft

Rektor Professor Zimmer – der Papst hatte inzwischen Platz genommen – erinnerte in seiner Begrüßungsansprache daran, dass Joseph Ratzinger als Professor und Vizepräsident die Universität Regensburg „in den entscheidenden Entwicklungsjahren" geprägt und ihre Entwicklung auch nach seinem Weggang begleitet habe. Benedikt, der in den aufsteigenden Zuschauerreihen viele vertraute Gesichter aus seinem Regensburger Bekanntenkreis entdecken konnte, hörte es sichtlich gerne, als Zimmer von der einen Wissenschaft sprach, die es trotz der Vielfalt der einzelnen Fachsprachen und Methoden gebe: „Im Kern gibt es eine zentrale Gemeinsamkeit, die häufig gerade dann vergessen wird, wenn man auf schnelle Anwendung setzt. Diese Gemeinsamkeit besteht in der uneingeschränkten Offenheit gegenüber der Vielfalt von Phänomenen und Ideen, um dann in der kritischen Analyse bzw. dem Experiment die Grundprinzipien aufzudecken, die dieser Vielfalt zugrunde liegen."

Mit seinem Hinweis, dass die positive Bewertung von Vielfältigkeit im Englischen als „catholic" bezeichnet werde, erntete der Psychologe Zimmer nicht bloß Aufmerksamkeit, sondern auch Schmunzeln. Doch der Universitätsrektor schlug weitere geistvolle Beziehungsbrücken zwischen dem Text seiner Rede und dem Denken des prominenten Gastes aus Rom. Viele im Saal fühlten sich an Benedikts berühmte Predigt gegen die „Diktatur des Relativismus" erinnert, als Zimmer erläuterte, wissenschaftliche Vielfalt in seinem Verständnis stehe „im Gegensatz zur Beliebigkeit oder dem Relativismus des anything goes". Denn die unvoreingenommene Suche nach Grundprinzipien gelte in allen Fächern der Wissenschaft „mit der gleichen Leidenschaftlichkeit". Auf der anderen Seite, so der Rektor weiter, bedeute das Akzeptieren von Vielfältigkeit „auch die entschiedene Gegenposition zu jeder Form des Fundamentalismus, der eben dadurch gekennzeichnet ist, Vielfalt durch Denk- und sogar Wahrnehmungsverbote auf das zu reduzieren, was die Vorurteile stützt, und methodischen Zweifel gar nicht erst zuzulassen".

Benedikt XVI. hielt keine Ansprache, keine Predigt, sondern eine Vorlesung, die international Wellen schlug.
Die Begegnung mit Vertretern der Wissenschaft war sein persönlicher Wunschtermin.

Professor Zimmer schloss mit einer Sentenz des englischen Schriftstellers Alexander Pope (1688-1744), die nicht nur die „fruchtbare Spannung von Vielfältigkeit und Einheit" auf den Punkt brachte, sondern noch einmal eine Reminiszenz an Papst Benedikt XVI. enthielt – diesmal an die Enzyklika „Deus Caritas Est – Gott ist die Liebe". Pope in seiner Epistel IV: „God loves from whole to parts: but human soul must rise from individual to the whole. – Die Liebe Gottes geht vom Ganzen zum Teil, die menschliche Seele jedoch steigt auf vom Individuellen zum Ganzen."

Dass die Universität Regensburg sich statt der nun folgenden Papst-Vorlesung eigentlich lieber eine Diskussion mit dem Kirchenoberhaupt gewünscht hatte, war Zimmers tiefgründig-einfühlsamer Begrüßungsrede kaum anzumerken. „Wir hatten uns ursprünglich vorgestellt, dass der Papst bei seinem Besuch an unserer Universität mit einer ausgewählten Runde – zum Beispiel mit Theologen – diskutiert", sagte der Pressesprecher der Hochschule, Dr. Rudolf Dietze, am selben Tag der Deutschen Presse-Agentur. „Sogar ein Streitgespräch wäre schön gewesen." Beim Vorbereitungsbesuch des Päpstlichen Reisemarschalls Alberto Gasbarri habe sich aber herausgestellt, dass dafür die Zeit nicht ausreiche, weil der Papst sich maximal eine Stunde an der Universität aufhalten könne. „In so kurzer Zeit lässt sich natürlich kein Streitgespräch führen", so Dietze bedauernd.

Ein „Streitgespräch" der anderen Art

In der Folge wurde freilich aus Benedikts „Erinnerungen und Reflexionen" über „Glaube, Vernunft und Universität" – so die vollständige Überschrift seiner Regensburger Vorlesung – ein Streitgespräch in einem ganz anderen Sinn: eine Rede, die, weil nur in Schlagworten wiedergegeben, zum Stein des Anstoßes für viele Muslime in der Welt werden sollte. Das war in diesem Augenblick aber genauso wenig absehbar wie die glückliche Wendung, dass der Papst durch mehrere Richtigstellungen und eine Einladung an Botschafter aus islamisch geprägten Staaten doch noch den von Anfang an gewünschten Dialog zwischen Christentum und Islam in Gang bringen konnte.

„Es ist für mich ein bewegender Augenblick, noch einmal an der Universität eine Vorlesung halten zu dürfen." Mit diesen einleitenden Worten machte Benedikt XVI. klar, dass für ihn in dieser akademischen Feierstunde zweierlei zusammenkam – Rückkehr zu seinen biographischen Wurzeln und Bekenntnis zu seiner Identität als Wissenschaftler: Natürlich sprach hier der Papst – aber ebenso „noch einmal" der Professor Joseph Ratzinger. Ganz im Sinne der Begrüßungsansprache des Rektors lobte er das fakultätsübergreifende Zusammenwirken von Wissenschaftlern, wie er es 1959, noch am Anfang seiner Laufbahn, in Bonn vorgefunden hatte: „Dass wir in allen Spezialisierungen, die uns manchmal sprachlos füreinander machen, doch ein Ganzes bilden und im Ganzen der einen Vernunft mit all ihren Dimensionen arbeiten und so auch in einer gemeinschaftlichen Verantwortung für den rechten Gebrauch der Vernunft stehen – das wurde erlebbar."

Bemerkenswert, dass der jetzige Papst und frühere Präfekt der Römischen Glaubenskongregation sogar die wissenschaftliche Brücke zum Atheismus schlug. Ebenfalls in Bezug auf seine Bonner Erfahrungen sagte er nämlich: „Dieser innere Zusammenhalt im Kosmos der Vernunft wurde auch nicht gestört, als einmal verlautete, einer der Kollegen habe geäußert, an unserer Universität gebe es etwas Merkwürdiges: zwei Fakultäten, die sich mit etwas befassten, was es gar nicht gebe – mit Gott. Dass es auch solch radikaler Skepsis gegenüber notwendig und vernünftig bleibt, mit der Vernunft nach Gott zu fragen und es im Zusammenhang der Überlieferung des christlichen Glaubens zu tun, war im Ganzen der Universität unbestritten."

„Mit der Vernunft nach Gott zu fragen": In dieser Aussage konzentriert sich der ganze Inhalt der Regensburger Vorlesung des Papstes. Glaube und Vernunft gehören für ihn zusammen, ja sie sind aufeinander angewiesen. Das habe sich schon in den Anfängen des Christentums gezeigt, als biblischer Glaube und griechische Philosophie aufeinander zugingen – „ein nicht nur religionsgeschichtlich, sondern weltgeschichtlich entscheidender Vorgang, der uns auch heute in Pflicht nimmt". Religion und Vernunft dürften sich nicht voneinander trennen. Benedikt bezeichnete es als notwendig, dass sich die Vernunft für den Glauben öffne und der Glaube für die Vernunft. Die bedrohlichen „Pathologien der Religion und der Vernunft" seien unter anderem darauf zurückzuführen, dass die Vernunft den Fragen der Religion und des Ethos keinen Platz einräume. So verlören Ethos und Religion ihre gemeinschaftsbildende Kraft und verfielen der Beliebigkeit.

Der Papst warnte vor falschen Schlussfolgerungen: „Die eben in ganz groben Zügen versuchte Selbstkritik der modernen Vernunft schließt ganz und gar nicht die Auffassung ein, man müsse nun wieder hinter die Aufklärung zurückgehen und die Einsichten der Moderne verabschieden. Das Große der modernen Geistesentwicklung wird ungeschmälert anerkannt (...). Nicht Rücknahme, nicht negative Kritik ist gemeint, sondern um Ausweitung unseres Vernunftbegriffs und -gebrauchs geht es." Zugleich unterstrich Benedikt XVI. die Zugehörigkeit der Theologie zum universitären Kosmos. „Als eigentliche Theologie, als Frage nach der Vernunft des Glaubens" gehöre sie in die Universität und den Dialog der Wissenschaften hinein.

Standing Ovations für einen Welttheologen

„Gott hat kein Gefallen am Krieg"

Die eigentliche Brisanz aber erhielt die Regensburger Vorlesung durch ihren Verweis darauf, dass ein vernunftgemäßer Religionsbegriff die Anwendung von Gewalt im Namen Gottes ausschließe. Im ersten Teil seiner Ansprache ging der Papst auf den Dschihad, den „Heiligen Krieg", ein, und er tat es unter Bezugnahme auf ein Zitat aus dem späten 14. Jahrhundert. Der von Professor Theodor Khoury (Münster) herausgegebene Text stammt aus einem Dialog des gelehrten Kaisers Manuel II. Palaeologos mit einem gebildeten Perser über Christentum und Islam. Benedikt zitierte den byzantinischen Kaiser unter anderem mit den Worten:

„Zeig mir doch, was Mohammed Neues gebracht hat, und da wirst du nur Schlechtes und Inhumanes finden wie dies, dass er vorgeschrieben hat, den Glauben, den er predigte, durch das Schwert zu verbreiten." Vor allem dieser Satz löste später die Woge der Empörung aus. Da half es nichts, dass der Papst das Zitat gleich zweimal als „schroff" bezeichnete und beim Verlesen der Gesamtpassage nicht weniger als viermal distanzierende Einschübe wie „so sagte er" oder „ich zitiere" unterbrachte. Dabei wollte Benedikt doch nur die untrennbare Einheit von Glaube und Vernunft unterstreichen, indem er noch einmal den Kaiser sprechen ließ: „Gott hat kein Gefallen am Blut, und nicht vernunftgemäß zu handeln, ist dem Wesen Gottes zuwider."

Der Dekan der Kath.-Theol. Fakultät, Professor Dohmen, überreichte dem Hl. Vater die Regensburger Bilderbibel.

Ignoriert wurde in den ersten heftigen Reaktionen, dass der Papst sich – ganz im Sinne des Islam – gegen eine rein positivistische Vernunft, wie sie in der westlichen Welt vorherrsche, ausgesprochen hatte. Dabei kann man es doch gar nicht deutlicher sagen: „Von den tief religiösen Kulturen der Welt wird gerade dieser Ausschluss des Göttlichen aus der Universalität der Vernunft als Verstoß gegen ihre innersten Überzeugungen angesehen. Eine Vernunft, die dem Göttlichen gegenüber taub ist und Religion in den Bereich der Subkulturen abdrängt, ist unfähig zum Dialog der Kulturen." Gerade zu diesem Dialog lud der Heilige Vater am Ende seiner Regensburger Vorlesung noch einmal ein – und er mag dabei an das beschwörende „Dona nobis pacem" aus der h-Moll-Messe gedacht haben, das im Auditorium Maximum neben den anderen Musikstücken erklungen war.

Der Applaus der 1500 Gäste – Repräsentanten der Wissenschaft in ganz Bayern – war gewaltig. Die stehenden Ovationen galten sowohl dem Inhalt des dreißigminütigen Vortrags als auch dem, der ihn gehalten hatte – einem Papst, der trotz aller Belastungen, die sein Amt ihm abverlangt, nicht aufgehört hat, als Wissenschaftler aktiv zu sein. Für Professor Christoph Dohmen, den Dekan der Katholisch-Theologischen Fakultät an der Universität Regensburg, kommt noch ein anderes berührendes Element hinzu: „Ich hatte den Eindruck, dass der Papst diese Rede gehalten hat wie große Universitätskollegen ihre Abschiedsvorlesung halten." Benedikt XVI. habe den Bogen vom Beginn seiner Professorentätigkeit in Bonn bis nach Regensburg gespannt, wo er „noch einmal" eine Vorlesung hielt – zu einem Thema, das ihn ein ganzes Gelehrtenleben lang beschäftigt habe: „Glaube und Vernunft".

Völlig unerwartet schenkte der hohe Gast seinerseits der Universität
ein Faksimile des Codex Vaticanus B aus der 2. Hälfte des 12. Jahrhunderts.

Wie wichtig dem Papst seine Regensburger Vorlesung war, hatte Dohmen schon im April dieses Jahres wahrgenommen. Der Regensburger Alttestamentler hielt sich zu diesem Zeitpunkt als Mitglied der Päpstlichen Bibelkommission in Rom auf. Anlässlich einer Audienz teilte ihm Benedikt XVI. mit: „Ich bin schon bei meinem Vortrag." Dieses innere Beteiligtsein ist für Dohmen mit ein Grund, warum die Zuhörer im Audimax so begeistert waren: „Das Publikum spürte, dass der Papst seinen Text nicht einfach ablas, sondern im Inhalt des Vortrags vollkommen aufging."

Umso mehr freute es den Dekan der Katholischen Fakultät, dem Heiligen Vater unmittelbar nach der Vorlesung das Gastgeschenk der Universität überreichen zu dürfen: die sogenannte „Regensburger Bilderbibel", die von Dohmen herausgegeben wird, aber auf eine Anregung des früheren Kardinals Joseph

Ratzinger zurückgeht. Der großformatige Band enthält 50 Kunstwerke mit biblischen Themen, wobei die jeweilige Bibelstelle parallel dazu von einem Textautor erläutert wird. Ratzingers Hinweis, man könne die biblische Botschaft mit Hilfe von Kunstwerken vertiefen, war bereits 1998 vom Stuttgarter Belser Verlag aufgegriffen worden, doch erst nach der Papstwahl im vergangenen Jahr konnte das Buchprojekt in die Realisierungsphase treten.

Dazu Christoph Dohmen in seinem Vorwort: „Dass die Verwirklichung eines solchen Buches nun in Regensburg möglich wurde, und dass es Papst Benedikt gerade in und von der Universität Regensburg als Geschenk überreicht werden kann, ist schon Anlass genug, es als ‚Regensburger Bilderbibel' vorzulegen. Dem äußeren Rahmen, dass der damalige Inhaber des Lehrstuhls für Dogmatik und Dogmengeschichte nun als Papst Benedikt XVI. ‚seine' Universität besucht, entspricht ein innerer Rahmen im Buch. Den 50 Bildern der ‚Regensburger Bilderbibel' ist in der Einführung ein Kunstwerk aus der Regensburger Universitätsbibliothek vorangestellt worden, und eine Betrachtung zum ‚Angelus Novus' von Paul Klee, der in der Deutung von Walter Benjamin als ‚Engel der Geschichte' zu einer ‚Ikone des 20. Jahrhunderts' (Eberlein) geworden ist, aus der Feder des jetzigen Inhabers des dogmatischen Lehrstuhls schließt das Ganze ab."

Der Papst erhielt sein Exemplar der Bilderbibel nicht in der gerade erschienenen Buchhandelsausgabe überreicht, sondern in einer Geschenkausgabe in weißem Leder mit den handgemalten Wappen des Pontifex und der Universität auf der Vorder- und Rückseite des Einbandes. Ein weiteres Exemplar in dieser Ausstattung steht im Büro von Rektor Professor Zimmer.

Die Studentin Christiane Mayr zeigt Professor Alf Zimmer ihr Kunstwerk, eine Bronzebüste des Papstes

Überraschendes Gegengeschenk

Das „Mitbringsel" des Heiligen Vaters für seine alte Hochschule, in der er noch immer als Honorarprofessor geführt wird, war laut Professor Dohmen „eine wirkliche Überraschung". Erst kurz vor der Übergabe im Audimax hatte Papstsekretär Georg Gänswein ihm ins Ohr geflüstert: „Auch die Universität bekommt ein sehr schönes Geschenk." Es bildet die ideale Ergänzung zur Bilderbibel, denn der wertvolle Faksimile-Foliant des „Codex Vaticanus B" enthält den Text der ersten griechischen Komplettbibel. Das Original aus dem 12. Jahrhundert wird im Vatikan aufbewahrt.

So schloss sich noch einmal der Kreis: Papst Benedikt XVI., der in seiner bereits als historisch geltenden Vorlesung die engen Beziehungen zwischen griechischer Philosophie und Christentum betont hatte, übergab ein Geschenk, das den griechischen Urtext des Neuen Testaments enthält. Wer wollte, konnte darin zwei wichtige Botschaften entdecken: die Beschäftigung mit den Originalquellen nicht zu vergessen und die alten Texte mit Hilfe von Glaube und Vernunft immer wieder neu zu deuten.

Die Menschen im Auditorium Maximum der Regensburger Universität hatten eine überreiche Stunde erlebt – vielleicht den „zentralen Moment auf der Bayern-Reise des Papstes". Als Benedikt XVI. nach dem Eintrag ins Gästebuch der Universität etwas überstürzt aufbrach, da war es mit Sicherheit keine Missachtung der 1500 Gäste. Gerne hätte der Mozart-Liebhaber noch die drei Gesänge aus den „Vesperae solennes de confessore" gehört, die Chor und Orchester darboten. Aber es war bereits hohe Zeit für den nächsten Termin, die Ökumenische Vesper im Dom. Gewaltiger Abschiedsapplaus und erneut stehende Ovationen.

Auf der Rückfahrt passierte das Papamobil die Galgenbergbrücke

Glaube, Vernunft und Universität
Erinnerungen und Reflexionen

Sehr geehrte Damen und Herren!

*Es ist für mich ein bewegender Augenblick, noch ein-
mal an der Universität eine Vorlesung halten zu dürfen.
Meine Gedanken gehen dabei zurück in die Jahre, in
denen ich an der Universität Bonn nach einer schönen
Periode an der Freisinger Hochschule meine Tätigkeit
als akademischer Lehrer aufgenommen habe. Es war
– 1959 – noch die Zeit der alten Ordinarien-Universität.
Für die einzelnen Lehrstühle gab es weder Assistenten
noch Schreibkräfte, dafür aber gab es eine sehr unmit-
telbare Begegnung mit den Studenten und vor allem
auch der Professoren untereinander. (...) Die Universität
war auch durchaus stolz auf ihre beiden Theologischen
Fakultäten. Es war klar, dass auch sie, indem sie nach
der Vernunft des Glaubens fragen, eine Arbeit tun, die
notwendig zum Ganzen der Universitas scientiarum
gehört, auch wenn nicht alle den Glauben teilen konnten, um dessen Zuordnung zur gemeinsamen Vernunft
sich die Theologen mühen. (...) All dies ist mir wieder in
den Sinn gekommen, als ich kürzlich den von Professor Theodore Khoury (Münster) herausgegebenen Teil
des Dialogs las, den der gelehrte byzantinische Kaiser
Manuel II. Palaeologos wohl 1391 im Winterlager zu
Ankara mit einem gebildeten Perser über Christentum
und Islam und beider Wahrheit führte. (...)*

*In der von Professor Khoury herausgegebenen siebten
Gesprächsrunde (...) kommt der Kaiser auf das Thema des Djihad (heiliger Krieg) zu sprechen. Der Kaiser
wusste sicher, dass in Sure 2, 256 steht: Kein Zwang
in Glaubenssachen – es ist eine der frühen Suren aus
der Zeit, in der Mohammed selbst noch machtlos und
bedroht war. Aber der Kaiser kannte natürlich auch
die im Koran niedergelegten – später entstandenen
– Bestimmungen über den heiligen Krieg. Ohne sich
auf Einzelheiten wie die unterschiedliche Behandlung
von „Schriftbesitzern" und „Ungläubigen" einzulassen,
wendet er sich in erstaunlich schroffer Form ganz einfach mit der zentralen Frage nach dem Verhältnis von
Religion und Gewalt überhaupt an seinen Gesprächs-
partner. Er sagt: „Zeig mir doch, was Mohammed Neues
gebracht hat und da wirst du nur Schlechtes und Inhumanes finden wie dies, dass er vorgeschrieben hat, den
Glauben, den er predigte, durch das Schwert zu verbreiten". Der Kaiser begründet dann eingehend, warum
Glaubensverbreitung durch Gewalt widersinnig ist.
Sie steht im Widerspruch zum Wesen Gottes und zum
Wesen der Seele. (...)*

*Der entscheidende Satz in dieser Argumentation gegen
Bekehrung durch Gewalt lautet: Nicht vernunftgemäß
handeln, ist dem Wesen Gottes zuwider. Der Herausge-
ber, Theodore Khoury, kommentiert dazu: Für den Kaiser
als einen in griechischer Philosophie aufgewachsenen
Byzantiner ist dieser Satz evident. Für die moslemische
Lehre hingegen ist Gott absolut transzendent. Sein Wil-
le ist an keine unserer Kategorien gebunden und sei es
die der Vernünftigkeit. (...)*

*Hier tut sich ein Scheideweg im Verständnis Gottes und
so in der konkreten Verwirklichung von Religion auf, der
uns heute ganz unmittelbar herausfordert. Ist es nur
griechisch, zu glauben, dass vernunftwidrig zu handeln
dem Wesen Gottes zuwider ist, oder gilt das immer und
in sich selbst? Ich denke, dass an dieser Stelle der tiefe
Einklang zwischen dem, was im besten Sinn griechisch
ist und dem auf der Bibel gründenden Gottesglauben
sichtbar wird. Den ersten Vers der Genesis abwandelnd,
hat Johannes den Prolog seines Evangeliums mit dem
Wort eröffnet: Im Anfang war der Logos. Dies ist genau
das Wort, das der Kaiser gebraucht: Gott handelt mit
Logos. Logos ist Vernunft und Wort zugleich – eine Vernunft, die schöpferisch ist und sich mitteilen kann, aber
eben als Vernunft. (...)*

*Hier ist der Redlichkeit halber anzumerken, dass sich
im Spätmittelalter Tendenzen der Theologie entwickelt
haben, die diese Synthese von Griechischem und Christlichem aufsprengen. Gegenüber dem sogenannten
augustinischen und thomistischen Intellektualismus
beginnt bei Duns Scotus eine Position des Voluntaris-
mus, die schließlich dahinführte, zu sagen, wir kennten
von Gott nur seine Voluntas ordinata. Jenseits davon
gebe es die Freiheit Gottes, kraft derer er ja auch das
Gegenteil von allem, was er getan hat, hätte machen
und tun können. (...)*

Der These, dass das kritisch gereinigte griechische Erbe wesentlich zum christlichen Glauben gehört, steht die Forderung nach der Enthellenisierung des Christentums entgegen, die seit dem Beginn der Neuzeit wachsend das theologische Ringen beherrscht. (...)

Die Enthellenisierung erscheint zuerst mit den Grundanliegen der Reformation des 16. Jahrhunderts verknüpft. Die Reformatoren sahen sich angesichts der theologischen Schultradition einer ganz von der Philosophie her bestimmten Systematisierung des Glaubens gegenüber, sozusagen einer Fremdbestimmung des Glaubens durch ein nicht aus ihm kommendes Denken. Der Glaube erschien dabei nicht mehr als lebendiges geschichtliches Wort, sondern eingehaust in ein philosophisches System. Das Sola Scriptura sucht demgegenüber die reine Urgestalt des Glaubens, wie er im biblischen Wort ursprünglich da ist. (...) In einer für die Reformatoren nicht vorhersehbaren Radikalität hat Kant mit seiner Aussage, er habe das Denken beiseite schaffen müssen, um dem Glauben Platz zu machen, aus diesem Programm heraus gehandelt. Er hat dabei den Glauben ausschließlich in der praktischen Vernunft verankert und ihm den Zugang zum Ganzen der Wirklichkeit abgesprochen.

Die liberale Theologie des 19. und 20. Jahrhunderts brachte eine zweite Welle im Programm der Enthellenisierung mit sich, für die Adolf von Harnack als herausragender Repräsentant steht. (...) Dabei geht es im Grunde darum, das Christentum wieder mit der modernen Vernunft in Einklang zu bringen, eben indem man es von scheinbar philosophischen und theologischen Elementen wie etwa dem Glauben an die Gottheit Christi und die Dreieinheit Gottes befreie. (...)

Einstweilen bleibt festzustellen, dass bei einem von dieser Sichtweise her bestimmten Versuch, Theologie „wissenschaftlich" zu erhalten, vom Christentum nur ein armseliges Fragmentstück übrigbleibt. Aber wir müssen mehr sagen: Der Mensch selbst wird dabei verkürzt. Denn die eigentlich menschlichen Fragen, die nach unserem Woher und Wohin, die Fragen der Religion und des Ethos können dann nicht im Raum der gemeinsamen, von der „Wissenschaft" umschriebenen Vernunft Platz finden und müssen ins Subjektive verlegt werden. (...) Bevor ich zu den Schlussfolgerungen komme (...), muss ich noch kurz die dritte Enthellenisierungswelle andeuten, die zurzeit umgeht. Angesichts der Begegnung mit der Vielheit der Kulturen sagt man heute gern, die Synthese mit dem Griechentum, die sich in der alten Kirche vollzogen habe, sei eine erste Inkulturation des Christlichen gewesen, auf die man die anderen Kulturen nicht festlegen dürfe. (...) Diese These ist nicht einfach falsch, aber doch vergröbert und ungenau. Denn das Neue Testament ist griechisch geschrieben und trägt in sich selber die Berührung mit dem griechischen Geist, die in der vorangegangenen Entwicklung des Alten Testaments gereift war. (...)

Damit komme ich zum Schluss. Die eben in ganz groben Zügen versuchte Selbstkritik der modernen Vernunft schließt ganz und gar nicht die Auffassung ein, man müsse nun wieder hinter die Aufklärung zurückgehen und die Einsichten der Moderne verabschieden. (...) Nicht Rücknahme, nicht negative Kritik ist gemeint, sondern um Ausweitung unseres Vernunftbegriffs und -gebrauchs geht es. Denn bei aller Freude über die neuen Möglichkeiten des Menschen sehen wir auch die Bedrohungen, die aus diesen Möglichkeiten aufsteigen und müssen uns fragen, wie wir ihrer Herr werden können. Wir können es nur, wenn Vernunft und Glaube auf neue Weise zueinanderfinden; wenn wir die selbstverfügte Beschränkung der Vernunft auf das im Experiment Falsifizierbare überwinden und der Vernunft ihre ganze Weite wieder eröffnen. In diesem Sinn gehört Theologie nicht nur als historische und humanwissenschaftliche Disziplin, sondern als eigentliche Theologie, als Frage nach der Vernunft des Glaubens an die Universität und in ihren weiten Dialog der Wissenschaften hinein.

Nur so werden wir auch zum wirklichen Dialog der Kulturen und Religionen fähig, dessen wir so dringend bedürfen. In der westlichen Welt herrscht weithin die Meinung, allein die positivistische Vernunft und die ihr zugehörigen Formen der Philosophie seien universal. Aber von den tief religiösen Kulturen der Welt wird gerade dieser Ausschluss des Göttlichen aus der Universalität der Vernunft als Verstoß gegen ihre innersten Überzeugungen angesehen. Eine Vernunft, die dem Göttlichen gegenüber taub ist und Religion in den Bereich der Subkulturen abdrängt, ist unfähig zum Dialog der Kulturen. (...)

„Damit die Welt glaube, müssen wir eins sein"

Die Ökumenische Vesper im Regensburger Dom

Wenn man wollte, könnte man ein eigenes Kapitel über die Papamobil-Fahrten des Papstes durch Regensburg schreiben. In ihnen kommt eine besondere Nähe zwischen dem „einheimischen" Pontifex und seinen begeisterten „Mitbürgern" zum Ausdruck. Die oft stundenlang ausharrenden Benedikt-Fans faszinierte dabei beides: dass dieser Papst „einer von uns" ist, aber eben auch, dass er „der Papst" ist – Oberhaupt von mehr als einer Milliarde Katholiken in aller Welt und damit einer der ganz Großen auf dem internationalen Parkett. Dass dieser Große sich so klein zu machen versteht und sich selbst als „einfachen Arbeiter im Weinberg des Herrn" sieht, das öffnete die Herzen und bei manchem auch die Tränenschleusen. Begeisterung, Herzlichkeit, Gänsehautgefühl – das alles schwang mit, wenn Benedikt XVI. im hochragenden Papamobil mit dem Kennzeichen S.C.V. 1 durch die wartenden Reihen fuhr.

So auch an diesem späten Dienstagnachmittag. Gegen 17. 50 Uhr hatte der Papst seine Vorlesung an der Universität Regensburg beendet und kurze Zeit später den Campus Richtung Innenstadt verlassen. In ihrer „Chronologie eines einmaligen Tages" vermerkte die „Mittelbayerische Zeitung" dann unter dem Eintrag 18.10 Uhr: „Im Schrittempo rollt der Papst im Papamobil die Maximilianstraße entlang. Begeisterte Menschen stehen dicht gedrängt am Straßenrand. Regensburgs Einkaufsmeile ist ein Fahnenmeer in Gelb und Weiß."

Ziel der Fahrt war der Domplatz mit der Kathedrale St. Peter und der Kirche St. Ulrich. Im Mittelpunkt des letzten großen Termins an diesem 12. September stand die Ökumene. Mit dem gemeinsamen Abendlob der Ökumenischen Vesper im Dom und dem vorhergehenden Treffen in St. Ulrich war ein weiterer Höhepunkt im Programm des Papst-Besuchs zu erwarten. Die Bedeutung des Ereignisses wurde schon durch die Besetzung und den Umfang der Teilnehmerliste deutlich.

Allein die orthodoxen Kirchen – an ihrer Spitze der für Deutschland zuständige Metropolit Augoustinos – waren mit 26 hohen Geistlichen vertreten. Zustande kam diese große Zahl dadurch, dass zeitgleich ein Jubiläums-Symposium am Ostkirchlichen Institut Regensburg stattfand. Die Evangelisch-lutherische Kirche in Bayern hatte 19 Vertreter geschickt – die Delegation wurde angeführt von Landesbischof Johannes Friedrich. Der evangelische Regionalbischof des Kirchenkreises Regensburg, Hans-Martin Weiss, leitete die 20-köpfige Abordnung der Arbeitsgemeinschaft Christlicher Kirchen in Bayern (ACK) – das Spektrum reichte hier von den Altkatholiken und Reformierten über Baptisten, Mennoniten, Methodisten bis hin zu den Anglikanern und wieder einigen Orthodoxen unterschiedlicher Herkunft. Fünf Mitglieder der Regensburger ACK waren zusätzlich geladen. Unter den 21 Vertretern der katholischen Bistümer befanden sich auch der Ökumenereferent des Bistums Regensburg, Max Hopfner, sowie der Passauer Altbischof Franz Eder und Paul-Werner Scheele, früherer Würzburger Oberhirte und Vorgänger von Bischof Gerhard Ludwig Müller als Ökumenebeauftragter der Deutschen Bischofskonferenz.

In der Ulrichskirche begrüßte Papst Benedikt Mitglieder der Jüdischen Gemeinde Regensburg: Hans Rosengold (Mitte), Frau Citronenbaum, Frau Danziger, Rabbiner Dannyel Morag.

„Ja, Grüß Sie Gott, Herr Rosengold"

Den Vortritt – sowohl auf der Teilnehmerliste als auch beim Empfang in der Ulrichskirche – hatte man den „älteren Brüdern" jüdischen Glaubens gelassen. Sie machten die ökumenische Begegnung zum interkonfessionellen Treffen. Nachdem der Papst an der Südporte des Gotteshauses von Dompropst Wilhelm Gegenfurtner offiziell begrüßt worden war, wandte sich Benedikt XVI. an die nächststehende Gruppe, die aus Josef Schuster, dem Präsidenten des Landesverbands der Israelitischen Gemeinden in Bayern, und sechs Vorstandsmitgliedern der Jüdischen Gemeinde Regensburg bestand.

Besonders herzlich fiel das Gespräch mit Hans Rosengold aus. „Ja, Grüß Sie Gott, Herr Rosengold", sagte der Heilige Vater und ergriff die Hand des 82-Jährigen, „ich freue mich sehr, Sie zu sehen". Und noch bevor Rosengold antworten konnte, bedankte sich Benedikt bei ihm für die Gastfreundschaft der Jüdischen Gemeinde – Mitglieder des Päpstlichen Gefolges waren dort für den kommenden Tag zum Mittagessen eingeladen. Hans Rosengold war sichtlich bewegt. Zum Schluss gab er dem Papst einen Segenswunsch mit auf den Weg: „Wir beten für Sie, dass Sie viel Kraft haben, Ihr hohes Amt zu bewältigen."

Der Papst begrüßte hohe Vertreter der Orthodoxen Kirche; im auffallend roten Umhang der armenisch-orthodoxe Archimandrit.

Bedeutender Gast war auch Johannes Friedrich, Landesbischof der Evang.-Luth. Kirche in Bayern; im Bild rechts Metropolit Augoustinos.

Reihum begrüßte Benedikt XVI. dann die einzelnen Delegationen und sprach mit ihren Leitern – besonders lange mit Landesbischof Johannes Friedrich und Metropolit Augoustinos. Nach diesem Gedankenaustausch kleidete sich der Papst in der Sakristei um und erschien mit Rauchmantel und Mitra wieder – die ökumenische Begegnung war zur „Statio" geworden, zur vorgelagerten Liturgie, die zum Hauptereignis des Abends, der Vesper, überleiten sollte. Auch das Gebet, das der Pontifex in St. Ulrich sprach, nahm schon Bezug zum Gotteslob im Dom: „Lasset uns beten. Herr, unser Gott, sende den Geist der Liebe auf uns herab, damit wir die Einheit der Christen aufrichtig ersehnen und tatkräftig fördern." Auf den Ruf des Diakons „Lasst uns ziehen in Frieden", sangen alle gemeinsam die Antwort: „Christus, dem Herrn, entgegen."

Was folgte, hatte Regensburg in dieser Form noch nicht gesehen: In einer langen Prozession zogen Katholiken, Protestanten und die Vertreter der Orthodoxie mit ihren auffällig variierenden Kopfbedeckungen – eckig, spitz, rund – über den Domplatz zum Westportal der Kathedrale, das erstmals seit rund hundert Jahren wieder unverstellt zugänglich war. Das Geläut der Domglocken, die Beifallsbekundungen der Menschen und die frühabendliche Stimmung, die über der Altstadt lag – all das vereinigte sich mit dem Bild der Prozession zu einer überwältigenden Vision: Das pilgernde Gottesvolk auf dem Weg durch die Zeit. Mehrfach blieb der Papst stehen und gab das Segenszeichen – zu den Gläubigen am Straßenrand, aber auch hinauf zu den Fenstern, wo einige besonders Glückliche ihren Logenplatz gefunden hatten.

Die Prozession mit den Vertretern der einzelnen christlichen Konfessionen formierte sich vor der Ulrichskirche und zog mit dem Papst zum Dom.

„Dialog" der Konfessionen: Vor Papst Benedikt und Bischof Müller gingen Augoustinos Lambardakis, Metropolit von Deutschland und Exarch von Zentraleuropa, und Landesbischof Johannes Friedrich.

Eine große Menschenmenge erwartete im Dom den Papst und die Repräsentanten der Glaubensgemeinschaften.

Im Regensburger Petersdom

Am Westportal wurde Benedikt XVI. vom heiligen Petrus selbst begrüßt. Denn zum Bildprogramm dieses aufwändig gestalteten Haupteingangs gehört auch eine markante Figur des Patrons von Kathedrale und Stadt: Sankt Peter mit dem Schlüssel. Am auffälligen Triangel-Vorbau des Portals stieg der Papst die Stufen hinauf und betrat den Dom. Gleißendes Scheinwerferlicht und Applaus empfingen den Petrus-Nachfolger. Auch hier im Dom suchte Benedikt die Nähe der Menschen. Ein kleiner Junge empfing von ihm das Kreuzeszeichen.

Die Vesper als liturgisches Abendlob der katholischen Kirche geht in ihrem Ursprung auf jüdische Traditionen zurück. Sie besteht aus Eröffnung, Hymnus, Psalmen, Schriftlesung, Responsorium, Magnificat, Fürbitten, Vaterunser, Tagesgebet und Segen. Schon wegen der Fülle ihrer Bestandteile eignet sie sich gut für das gemeinsame Beten in einem ökumenischen Gottesdienst. So übernahmen Landesbischof Friedrich, Metropolit Augoustinos und Bischof Gerhard Ludwig Müller das Vorbeten der drei Orationen, Regionalbischof Weiss trug den Text der Schriftlesung vor, und Vertreter der orthodoxen Kirche sangen Hymnus und Responsorium. Auch bei den Fürbitten wechselten sich Katholiken, Protestanten und Orthodoxe ab. Musikalisch war es die große Stunde der Regensburger Domspatzen. Sie sangen die feierlichen Psalmvertonungen in den Falsibordoni-Sätzen Alter Meister – immer im Wechsel mit der Gemeinde, die im Gregorianischen Choral antwortete. Mit dem „Laudate Dominum" von Palestrina und dem abschließenden „Christus vincit" von Jules van Nuffel (letzteres zusammen mit Domorganist Franz-Josef Stoiber) steuerten sie zwei Stücke ihres Kernrepertoires bei.

Papstbruder Georg Ratzinger hatte immer einen treuen Begleiter und Führer, Monsignore St. Stocker von der Nuntiatur in Berlin.

Blick in
den festlich
erleuchteten
Chor des Doms

Erzbischof Ionafon aus Cherson/Ukraine sang den Hymnus des hl. Joh. Chrysostomos vor einer Hand-Reliquie des Heiligen.

Bischof Gerhard Ludwig begrüßte alle Teilnehmer.

Sowohl Landesbischof Friedrich (im Bild) als auch Metropolit Augoustinos und Bischof Gerhard Ludwig übernahmen die Orationen.

Lesung 1 Joh 4,9-15 durch den evangelisch-lutherischen Regionalbischof Hans-Martin Weiss

Ein Chor rumänischer Priester, ehemalige Stipendiaten des Ost-kirchlichen Instituts in Regensburg, sang den Abendhymnus der Orthodoxen Kirche.

Hohe katholische Geistlichkeit feierte mit.
Vordere Reihe: Kardinal Rouca Varela aus Madrid, Kardinal Wetter aus München, Kardinal Lehmann aus Mainz (v.l.)

Im Mittelpunkt des Medieninteresses im Vorfeld der Vesper stand vor allem die Frage, was der Papst zur Ökumene zwischen Katholiken und Protestanten sagen würde. Der Appell von Bundespräsident Horst Köhler am Anfang des Bayern-Besuchs, beim ökumenischen Miteinander beherzt voranzuschreiten, hatte die Erwartungen zusätzlich genährt – ebenso wie Benedikts Antwort: „Wir werden uns mit Herz und Verstand darum bemühen, dass wir zueinanderkommen." Zudem hatte Landesbischof Johannes Friedrich im Vorfeld geäußert, er wolle Benedikt XVI. bitten, das gemeinsame Abendmahl für konfessionsverschiedene Ehepaare zu ermöglichen. Die Journalisten waren deshalb auch auf Friedrichs Kurzpredigt gespannt, die sich in der Form eines „Geistlichen Worts" unmittelbar an die Schriftlesung aus dem ersten Brief des Johannes anschloss. Einer der Kernsätze der Lesung lautet: „Wenn Gott uns so geliebt hat, müssen auch wir einander lieben."

Liebesgebot und Einheitsgebot

Der Landesbischof tat zweierlei. Er führte die Liebes-
botschaft des Schrifttextes sofort mit Benedikts Enzyklika „Deus Caritas Est" zusammen und stellte seine
Kurzpredigt folgerichtig unter das Motto „Gott ist Liebe". Im zweiten Schritt entwickelte er aus dem Liebes-
gebot das Gebot zur Einheit: „Liebe als Lebensgestalt
der Kirche wäre nicht Liebe, wenn sie uns nicht zur
Einheit anstiftete. Liebe als Lebensgestalt der Kirche
wäre nicht Liebe, wenn sie nicht zugleich der Vielfalt
und der Verschiedenheit Raum ließe. Liebe als Lebensgestalt der Kirche wäre nicht Liebe, wenn wir sie nicht
‚mit Herz und Verstand' für unser Miteinander wirken
ließen."

Auch indem er das Papstwort „Wer glaubt, ist nie
allein" aufgriff, schlug Friedrich den Bogen zum Thema
Ökumene, denn der erste Johannesbrief richte sich „an
die Kirche als universale Gemeinschaft". Für Friedrich
ergaben sich daraus folgende Fragen: „Wie gestaltet
diese universale Gemeinschaft ihr Zusammenleben? Ist
es geprägt von ängstlicher Selbstbewahrung der Konfessionen und kirchlichen Gemeinschaften oder von
der Liebe, die Gott in uns verströmt? Ist es geprägt
von Misstrauen oder von der Versöhnung, in der die
Liebe Gottes zum Ziel kommt?" An den Schluss stellte
der Landesbischof ein Luther-Zitat: „Wenn wir wirklich
in Christus sind und Gott in uns, dann ist die Liebe
gesund. Man soll nicht sagen: Du erzürnst mich! Sondern: Du gibst mir Gelegenheit, meine Liebe an dir zu
bewähren. (...) Gott will so eine feste Liebe, nicht eine,
die humpelt."

Zwischen der Ansprache Johannes Friedrichs und der
Predigt des Papstes intonierte ein russisch-orthodo-
xer Geistlicher das Responsorium. Ausgewählt worden
war das Chrysostomos-Tropar, ein kurzer byzantini-
scher Gesang zu Ehren des hl. Johannes Chrysostomos (349 oder 344-407 n. Chr.), dessen Gedenktag der
13. September ist. Aus eben diesem Grund stand am

Altar ein wertvolles Reliquiar aus dem Regensburger
Domschatz, das die rechte Hand des Heiligen enthält.
Im Tropar heißt es über den begnadeten Redner Chrysostomos (zu Deutsch „Goldmund"): „Deines Mundes
Gnade flammte auf gleich einer Fackel und erleuch-
tete die Welt. Sie legte der Freigebigkeit Schätze dar
für die Welt und zeigte uns die Höhe der Demut." So
verband das Lob des Predigers Chrysostomos, der als
gemeinsamer Heiliger aus der Zeit vor jeder Kirchen-
trennung verehrt wird, die beiden Schriftauslegungen
dieses Vespergottesdienstes.

„Miteinander eins" im Abendlob

Benedikt XVI. fasste gleich zu Anfang seiner Predigt
Sinn und Zweck der Ökumenischen Vesper zusammen:
„Wir sind versammelt – Orthodoxe, Katholiken und
evangelische Christen –, um gemeinsam das Abendlob Gottes zu singen, dessen Herzstück die Psalmen
sind, in denen sich Alter und Neuer Bund vereinigen,
unser Gebet sich mit dem glaubenden und hoffenden
Israel verbindet. Dies ist eine Stunde der Dankbarkeit
dafür, dass wir so miteinander beten dürfen und aus
der Zuwendung zum Herrn zugleich miteinander eins
werden."

Inzension des Altars, an dem Benedikt XVI. als Kardinal mehrmals Eucharistie gefeiert hat.

Worte der Begrüßung richtete der Papst zunächst an die Teilnehmer aus der orthodoxen Kirche. Benedikt sagte, er betrachte es als „ein großes Geschenk der Vorsehung", dass er als Professor in Bonn zwei junge Archimandriten kennengelernt habe und so die orthodoxe Kirche „sozusagen persönlich, in Personen kennen- und liebenlernen durfte". Auch in Regensburg habe es dank der Initiativen des früheren Bischofs Rudolf Graber Gelegenheit zu solchen Begegnungen gegeben. Er freue sich deshalb, „manch vertraute Gesichter wiedersehen zu dürfen und alte Freundschaften neu belebt zu finden". Der Pontifex hob hervor, dass die Gemeinschaft der Gläubigen („Koinonia") zunächst „Gemeinschaft mit dem Vater und seinem Sohn Jesus Christus im Heiligen Geist" sei. Diese Gottesgemeinschaft schaffe dann auch „die Koinonia untereinander". Beschwörend fügte er hinzu, er hoffe und bete, „dass die uns verbindende Gemeinschaft mit dem lebendigen Gott, die Gemeinschaft in dem von den Aposteln überlieferten Glauben sich vertieft und zu jener vollen Einheit reift, an der die Welt erkennen kann, dass Jesus Christus wahrhaft der Gesandte Gottes, Gottes Sohn ist, der Heiland der Welt". Und weiter: „Damit die Welt glaube, müssen wir eins sein: Der Ernst dieses Auftrags muss unseren Dialog beseelen."

Auch bei der Begrüßung der „Freunde aus den verschiedenen Traditionen der Reformation" sprach Benedikt von persönlichen Begegnungen und Erinnerungen und von der „Dankbarkeit für die Begegnungen dieser Stunde". Besonders erinnerte der Papst an die „denkwürdige Begegnung mit dem heimgegangenen Bischof Hanselmann hier in Regensburg", die 1998 zur Klärung strittiger Details der Gemeinsamen Erklärung zur Rechtfertigungslehre beigetragen hatte. Der am 31. Oktober 1999 in Augsburg ratifizierte Rechtfertigungskonsens bleibe jedoch „eine große und noch nicht recht eingelöste Verpflichtung für uns". Rechtfertigung sei „ein wesentliches Thema in der Theologie, aber im Leben der Gläubigen heute kaum anwesend, wie mir scheint". Das moderne Bewusstsein habe Schwierigkeiten mit der Vorstellung, „dass wir Gott gegenüber ernstlich in Schulden sind, dass Sünde eine Realität ist, die nur von Gott her überwunden werden kann".

„Wir haben der Liebe geglaubt"

Wie Landesbischof Friedrich legte der Papst dann die Worte der Lesung aus dem ersten Johannesbrief aus. Das Zentralthema des ganzen Briefes trete in Vers 15 in Erscheinung: „Wer bekennt, dass Jesus der Sohn Gottes ist, in dem bleibt Gott, und er bleibt in Gott." In diesem Bekenntnis, so Benedikt XVI. an die versammelten Kirchenvertreter, gebe es „keine Trennung zwischen uns": „Dass dieser gemeinsame Grund immer stärker werde, darum wollen wir beten." Als zweiten Punkt der Schriftlesung zog der Papst Vers 14 heran: „Wir haben gesehen und bezeugen, dass der Vater den Sohn gesandt hat als den Retter der Welt." Daraus ergebe sich: „Das Bekenntnis muss Zeugnis werden. (...) In einer Welt voller Verwirrung müssen wir wieder Zeugnis geben von den Maßstäben, die Leben zu Leben machen. Dieser großen gemeinsamen Aufgabe aller Glaubenden müssen wir uns mit großer Entschiedenheit stellen." Als Drittes hob Benedikt das Stichwort „Agape – Liebe" hervor, das in der lateinischen Form im Titel seiner Enzyklika „Deus Caritas Est" vorkommt:

Die Fürbitten sprachen Vertreter der verschiedenen Konfessionen.

„Die Agape (Liebe) ist wirklich die Summe von Gesetz und Propheten. Alles ist in ihr ,eingefaltet', muss aber im Alltag immer neu entfaltet werden. Im Vers 16 findet sich das wundervolle Wort: ,Wir haben der Liebe geglaubt.' Ja, der Liebe kann der Mensch glauben. Bezeugen wir unseren Glauben so, dass er als Kraft der Liebe erscheint, ,damit die Welt glaube' (Joh 17, 21). Amen."

Gemeinsames Christus-Bekenntnis, gemeinsames Zeugnis, gemeinsame Liebe: Dieser große Brückenschlag verband die Predigt des Heiligen Vaters mit dem Geistlichen Wort des Landesbischofs. „Herz und Verstand" hatten sich in beiden Fällen bemüht, den Grund freizulegen, auf dem Protestanten, Katholiken und Orthodoxe gleichermaßen gehen können – einmal nebeneinander, einmal miteinander. Beide – Benedikt XVI. und Johannes Friedrich – verschwiegen aber nicht, dass auf dem Weg zur „vollen Einheit" noch viele Schritte nötig sind. Das kam auch in den Fürbitten zum Ausdruck – etwa in den Worten von Ökumenereferent Max Hopfner. Er bat „um neuen ökumenischen Eifer, um Mut, Milde und Beharrlichkeit auf dem Weg zur vollen Gemeinschaft, um vertiefte Freundschaft und die demütige Bereitschaft zur Vergebung". Höhepunkt der Vesper war sicher das gemeinsame Vaterunser und der Schluss-Segen, den der Papst zusammen mit Landesbischof Johannes Friedrich, Metropolit Augoustinos und Diözesanbischof Gerhard Ludwig Müller erteilte.

Feierlicher Segen

Nach der Liturgie war der Heilige Vater sichtlich entspannt.

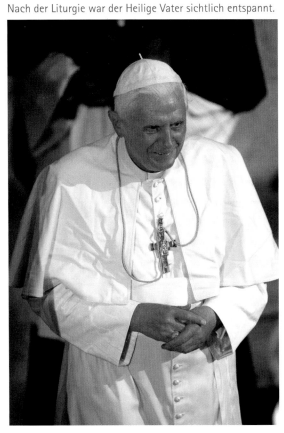

Brüderlicher Abschied von Erzbischof Longin vom Patriarchat Moskau

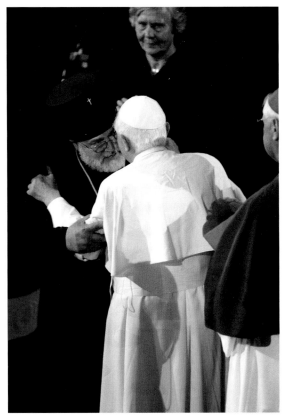

Spontan ging Benedikt XVI. auf Altbischof Manfred Müller und den früheren Weihbischof Vinzenz Guggenberger zu.

Mit anhaltendem Applaus wurde der Heilige Vater verabschiedet. Doch Benedikt XVI. ist nicht nur der erste Papst überhaupt, der den gotischen Petersdom betreten hat, sondern auch jemand, der als Professor und Kardinal hier gern die Messe feierte. So konnte er sich nur schwer von „seiner Kathedrale" lösen. Willkommenen Aufschub bot ein Gruppenfoto mit den Regensburger Domspatzen, zu dem er sich mitten unter die kleinen Sänger setzte, oder auch sein freundschaftliches Gespräch mit Altbischof Manfred Müller und dem früheren Weihbischof Vinzenz Guggenberger, auf die er mit ausgestreckten Armen zugegangen war. Am Ende war der Abschied doch unausweichlich. Als Benedikt das Westportal erreicht hatte, drehte er sich noch einmal um und winkte in den Dom zurück.

Benedikt in seiner Domspatzen-„Familie"

Draußen auf dem Vorplatz wartete bereits Oberbürgermeister Hans Schaidinger mit dem Goldenen Buch der Stadt. Der Papst trug sich ein, nahm freundlich lächelnd eine Grafik des Regensburger Künstlers Manfred Sillner entgegen, grüßte die Menschen auf dem Domplatz und bestieg das Papamobil. Als Benedikt die erst kürzlich getaufte Antonia küsste, die ihm von einem Sicherheitsbeamten durchs Fenster gereicht wurde, kannte der Jubel keine Grenzen. Die Fahrt ins Priesterseminar geriet zum „Triumphzug", wie die „Mittelbayerische Zeitung" schrieb. Doch keiner dieser bewegenden, mitreißenden, großen Momente war so intensiv wie das kurze Innehalten des Papstes beim Verlassen des Westportals. Sein Blick zurück, sein Winken: Ein Gruß für die Menschen, ein Gruß für den Dom, ein Gruß für Regensburg.

Vor dem Dom: Eintrag ins Goldene Buch der Stadt Regensburg; rechts Oberbürgermeister Hans Schaidinger

Benedikt XVI. ließ sich Klein Antonia bringen, um sie zu segnen.

Durch das weit geöffnete Westportal verließ der Papst den Dom.

Dokumentation in Wortlautauszügen

Die Predigt des Papstes bei der Ökumenischen Vesper im Regensburger Dom

Liebe Brüder und Schwestern in Christus!

(...) Ganz herzlich möchte ich zunächst die Teilnehmer an dieser Vesper begrüßen, die aus der orthodoxen Kirche kommen. (...) Ich freue mich, manch vertraute Gesichter wiedersehen zu dürfen und alte Freundschaften neu belebt zu finden. In wenigen Tagen wird in Belgrad der theologische Dialog wieder aufgenommen werden über das Grundthema der Koinonia – in den zwei Dimensionen, die uns der erste Johannes-Brief gleich zu Beginn im ersten Kapitel benennt: Unsere Koinonia ist zunächst Gemeinschaft mit dem Vater und seinem Sohn Jesus Christus im Heiligen Geist (...). Diese Gottesgemeinschaft schafft dann auch die Koinonia untereinander, als Teilhabe am Glauben der Apostel und so als Gemeinschaft im Glauben, die sich in der Eucha-

ristie verleiblicht und über alle Grenzen hin die eine Kirche baut (vgl. 1 Joh 1, 3). Ich hoffe und bete, dass diese Gespräche fruchtbar sind und dass die uns verbindende Gemeinschaft mit dem lebendigen Gott, die Gemeinschaft in dem von den Aposteln überlieferten Glauben sich vertieft und zu jener vollen Einheit reift, an der die Welt erkennen kann, dass Jesus Christus wahrhaft der Gesandte Gottes, Gottes Sohn ist, der Heiland der Welt (vgl. Joh 17, 21). (...)

Ganz herzlich begrüße ich auch die Freunde aus den verschiedenen Traditionen der Reformation. Auch da werden in mir viele Erinnerungen wach (...). Ich denke natürlich ganz besonders an das Ringen um den Rechtfertigungskonsens mit all seinen Phasen bis hin zu der denkwürdigen Begegnung mit dem heimgegangenen Bischof Hanselmann hier in Regensburg, die wesentlich dazu beitragen durfte, zur gemeinsamen Antwort zu finden. Ich freue mich, dass inzwischen auch der „Weltrat der methodistischen Kirchen" sich diesem Konsens angeschlossen hat. Der Rechtfertigungskonsens bleibt eine große und noch nicht recht eingelöste Verpflichtung für uns (...). Auch wenn durch die dramatischen Ereignisse der Gegenwart das Thema der Vergebung untereinander wieder seine volle Dringlichkeit zeigt – dass wir zuallererst die Vergebung von Gott her, die Gerechtmachung durch ihn brauchen, das steht kaum im Bewusstsein. Dass wir Gott gegenüber ernstlich in Schulden sind, dass Sünde eine Realität ist, die nur von Gott her überwunden werden kann: Das ist dem modernen Bewusstsein weithin fremd geworden. Im letzten steht eine Abschwächung unseres Gottesverhältnisses hinter diesem Verblassen des Themas der Rechtfertigung und der Vergebung der Sünden. So wird es wohl unsere allererste Aufgabe sein, den lebendigen Gott wieder in unserem Leben neu zu entdecken.

Hören wir mit dieser Absicht nun dem zu, was der heilige Johannes uns eben in der Lesung sagen wollte. Ich möchte drei Aussagen dieses vielschichtigen und reichen Textes besonders unterstreichen. Das Zentralthema des ganzen Briefes erscheint im Vers 15: „Wer bekennt, dass Jesus der Sohn Gottes ist, in dem bleibt Gott, und er bleibt in Gott." Johannes stellt hier noch einmal, wie zuvor schon in den Versen 2 und 3 des vierten Kapitels, das Bekenntnis, die Confessio, heraus, die uns überhaupt als Christen unterscheidet: den Glauben daran, dass Jesus der im Fleisch gekommene Sohn Gottes ist. (...) Wer Gott ist, wissen wir durch Jesus Christus: den einzigen, der Gott ist. In die Berührung mit Gott kommen wir durch ihn. In der Zeit der multireligiösen Begegnungen sind wir leicht versucht, dieses zentrale Bekenntnis etwas abzuschwächen oder gar zu verstecken. Aber damit dienen wir der Begegnung nicht und nicht dem Dialog. Damit machen wir Gott nur unzugänglicher, für die anderen und für uns selbst. Es ist wichtig, dass wir unser Gottesbild ganz und nicht nur fragmentiert zur Sprache bringen. Damit wir es können, muss unsere eigene Gemeinschaft mit Christus, unsere Liebe zu ihm wachsen und tiefer werden. In diesem gemeinsamen Bekenntnis und in dieser gemeinsamen Aufgabe gibt es keine Trennung zwischen uns. Dass dieser gemeinsame Grund immer stärker werde, darum wollen wir beten.

Damit sind wir schon mitten in dem zweiten Punkt, den ich ansprechen wollte. Er kommt im Vers 14 zur Sprache, wo es heißt: „Wir haben gesehen und bezeugen, dass der Vater den Sohn gesandt hat als den Retter der Welt." (...) Das Bekenntnis muss Zeugnis werden. In dem zugrundeliegenden Wort μάρτυς (Zeuge) klingt auf, dass der Zeuge Jesu Christi mit seiner ganzen Existenz, mit Leben und Sterben für sein Zeugnis eintritt. Der Verfasser des Briefes sagt von sich: „Wir haben gesehen." Weil er gesehen hat, kann er Zeuge sein. Er setzt aber voraus, dass auch wir – die nachfolgenden Generationen – sehend zu werden vermögen, und dass auch wir als Sehende Zeugnis ablegen können. Bitten wir den Herrn, dass er uns sehend macht. Helfen wir uns gegenseitig zum Sehen, damit wir auch die Menschen unserer Zeit sehend machen können und dass sie durch die ganze selbstgemachte Welt hindurch Gott wieder erkennen können, durch alle historischen Barrieren hindurch Jesus wieder wahrnehmen dürfen, den von Gott gesandten Sohn, in dem wir den Vater sehen. Im Vers 9 heißt es, dass Gott den Sohn in die Welt gesandt hat, damit wir leben. Können wir nicht heute sehen, dass erst durch die Begegnung mit Jesus Christus

das Leben wirklich Leben wird? (...) In einer Welt voller Verwirrung müssen wir wieder Zeugnis geben von den Maßstäben, die Leben zu Leben machen. Dieser großen gemeinsamen Aufgabe aller Glaubenden müssen wir uns mit großer Entschiedenheit stellen: Es ist die Verantwortung der Christen in dieser Stunde, jene Maßstäbe rechten Lebens sichtbar zu machen, die uns in Jesus Christus aufgegangen sind, der alle Worte der Schrift in seinem Weg vereinigt hat: „Auf ihn sollt ihr hören" (Mk 9, 7).

Damit sind wir bei dem dritten Stichwort angekommen, das ich aus dieser Lesung hervorheben wollte: Agape – Liebe. Dies ist Leitwort des ganzen Briefes und besonders des Abschnitts, den wir eben gehört haben. Agape ist nichts Sentimentales und nichts Verstiegenes; sie ist ganz nüchtern und realistisch. Ein wenig darüber habe ich in meiner Enzyklika „Deus Caritas Est" zu sagen versucht. Die Agape (Liebe) ist wirklich die Summe von Gesetz und Propheten. Alles ist in ihr „eingefaltet", muss aber im Alltag immer neu entfaltet werden. Im Vers 16 unseres Textes findet sich das wundervolle Wort: „Wir haben der Liebe geglaubt." Ja, der Liebe kann der Mensch glauben. Bezeugen wir unseren Glauben so, dass er als Kraft der Liebe erscheint, „damit die Welt glaube" (Joh 17, 21). Amen.

Auch ein Papst brauchte solche Stärkung.

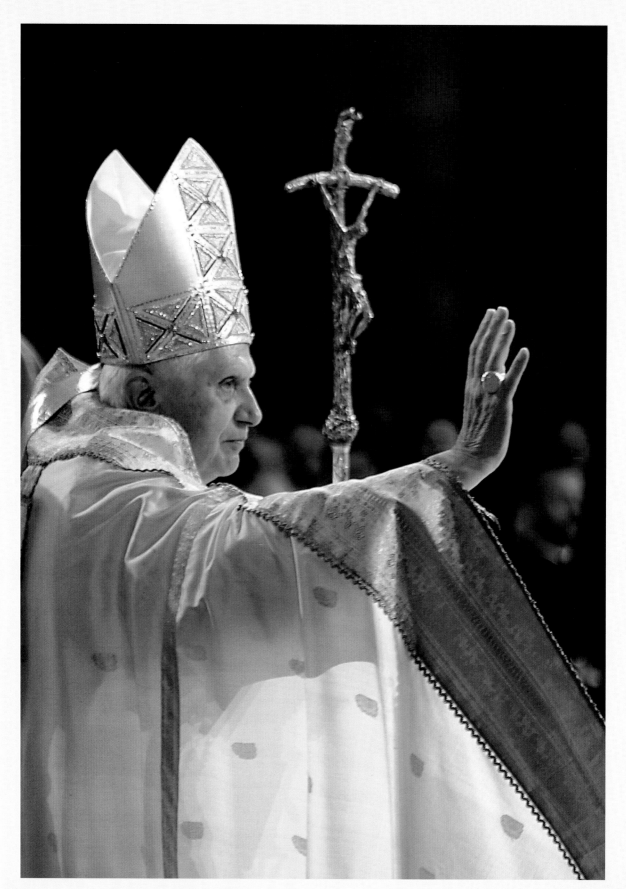

„Zum Greifen nah"

Stellungnahme des orthodoxen Metropoliten von Deutschland und Exarchen von Zentraleuropa, Augoustinos, zur Ökumenischen Vesper

Ein Papstbesuch ist ein Ereignis, das nicht nur die örtliche römisch-katholische Kirche betrifft, sondern die ganze Ökumene am Ort. Noch dazu, wenn dieser Ort, die Bundesrepublik, einen Knotenpunkt der ökumenischen Bewegung darstellt: Hier wird dieser Besuch mit einer gewissen Hoffnung erwartet, genau beobachtet und analysiert. Nach der Abreise des Papstes werden Schlussfolgerungen gezogen, mit denen sich die hiesige Ökumene für lange Zeit beschäftigen wird.

Der bayerische Papst kam nach Bayern. Hier fühlte er sich zuhause und nahm sich die Freiheit, mit Worten und Taten in diesem Sinne aufzutreten. Er war dabei vielen Menschen buchstäblich „zum Greifen nah", wie er dies als Professor oder als Kardinal vielleicht nie sein konnte. So war dies auch ein pastoraler Besuch; er hat ihn mit großer Freude wahrgenommen – und seine „Schäfchen" sicher auch! Die Folgen dieser apostolischen Reise im Blick auf den innerchristlichen bzw. den interreligiösen Dialog müssen sich noch zeigen.

Gerne bin ich der ehrenvollen Einladung, am Papstbesuch in München und Regensburg teilzunehmen, gefolgt. Mit besonderer Aufmerksamkeit habe ich die Grüße des Papstes an die orthodoxen Christen unseres Landes gehört und dankbar entgegengenommen. Bleibende Eindrücke haben auch die Gottesdienste und die gemeinsamen Gebete dieses Besuchs bei mir hinterlassen.

Ich habe Professor Ratzinger in Münster, wo ich in seiner Zeit studieren durfte, als einen hervorragenden Theologen und Lehrer kennengelernt. Bei diesem Besuch habe ich in Papst Benedikt auch den guten Hirten und ökumenischen Bruder entdeckt und geschätzt. In brüderlicher Verbundenheit wünsche ich ihm Gottes reichen Segen und grüße ihn mit einem herzlichen „Auf Wiedersehen".

„Signale, die man nicht unterschätzen darf"

Stellungnahme des evangelisch-lutherischen Landesbischofs Johannes Friedrich zur Ökumenischen Vesper

Es war ein schöner Tag, jener Dienstag in Regensburg. Bei herrlichem Wetter zogen wir über den Domplatz in den Dom ein, eine lange Prozession von Orthodoxen, Katholiken, Freikirchlern und Lutheranern, und am Ende – zwischen dem römisch-katholischen Bischof Gerhard Ludwig Müller, dem orthodoxen Metropoliten Augoustinos und dem lutherischen Landesbischof Johannes Friedrich – der Papst. Das gleiche Bild dann im Dom, als diese vier Bischöfe der Abendvesper vorstanden: für mich ein Zeichen für eine gleichberechtigte Ökumene im Lob und in der Anbetung Gottes.

Ich war dankbar, dass der Papst meine Anregung, in einer Abendvesper zusammen zu beten, aufgegriffen hat. Und ich habe mich gefreut, dass beide – ein evangelischer Bischof und der Papst – in dieser Vesper das Wort Gottes ausgelegt haben, ein meines Wissens einmaliges Ereignis, das von der Gottesdienstgemeinde in beiden Fällen mit großer Zustimmung aufgenommen wurde.

Das Wichtigste war mir aber, dass der Papst in seiner Ansprache die Rechtfertigungsvereinbarung von 1999 angesprochen und positiv gewürdigt hat. Auch sein Mahnen, dass wir alle an dieser Stelle noch weiter uns bemühen müssen, kann ich nur unterstreichen.

So habe ich mich gefreut, dass ich diesen schönen katholischen „Event" des Papstbesuchs mitfeiern konnte. Es war ja kein ökumenischer Event, und deshalb habe ich mir auch keine größeren ökumenischen Fortschritte davon erwartet. Die genannten Signale, so meine ich, darf man aber nicht unterschätzen. Ich gehe nach diesem Besuch frohgemut meinen ökumenischen Weg weiter. Denn der Herr hat uns gemeinsam auf diesen Weg gesandt.

Während seines Regensburg-Aufenthalts wohnten Papst Benedikt
und sein Gefolge im Priesterseminar St. Wolfgang

„Eine Oase mitten in der Innenstadt"

Der Aufenthalt Benedikts XVI. im Regensburger Priesterseminar

Zwischen 1945 und 1951 lebten Joseph und Georg Ratzinger gemeinsam im Freisinger Priesterseminar. Beim Heimat-Besuch des Papstes dürften sich beide an diese Zeit erinnert haben, denn noch einmal wohnten sie zusammen in einem Priesterseminar – im Seminar St. Wolfgang in Regensburg. Es war der längste Aufenthalt Benedikts während der Bayern-Reise: Von Montagabend bis Donnerstagfrüh wurde das ehemalige Schottenkloster am Regensburger Bismarckplatz zum Päpstlichen Domizil. Dass der frühere Domkapellmeister hier mitwohnen konnte, erleichterte den familiären Kontakt der beiden Brüder untereinander. Weil das Seminar St. Wolfgang in den Jahren 2003 bis 2005 komplett renoviert worden war, fanden die Gäste ideale Bedingungen vor. Im „Sanctissimum", dem päpstlichen Wohnbereich im 2. Stock, waren Benedikt und sein Bruder untergebracht, die beiden Sekretäre Georg Gänswein und Mieczyslaw Mokrzycki sowie der Kammerdiener des Papstes, Paolo Gabriele. Gefolge und Sicherheitskräfte – zusammen 37 Personen – logierten in einem anderen Gebäudeteil, jeweils im 1. und 2. Stock. Die angestammten Bewohner des Hauses – 30 der insgesamt 56 Priesteramtskandidaten – waren vorübergehend in die Turnhalle der Englischen Fräulein gezogen.

Diese Tafel kennzeichnete das Apartment des Papstes im Priesterseminar.

Benedikt XVI. kennt das Priesterseminar aus seiner Zeit als Professor an der Universität Regensburg gut. Damals hielt er hier die alle zwei Wochen stattfindenden Doktoranden-Kolloquien ab, bei denen nicht nur diskutiert, sondern auch die Heilige Messe gefeiert wurde. Wie sehr Joseph Ratzinger Seminar St. Wolfgang und Schottenkirche St. Jakob schätzt, kommt in seinem Papstwappen zum Ausdruck. Neben Korbiniansbär und Freisinger Mohr ist darauf eine Muschel dargestellt: Sie verweist einerseits auf den heiligen Augustinus – ein Kind, das mit einer Muschel das Meer ausschöpfen wollte, hat dem Kirchenvater die Grenzen des menschlichen Wissens vor Augen geführt –, andererseits aber auf Jakobus, den Heiligen aller Pilger, dessen Symbol ebenfalls die Muschel ist.

Als Benedikt XVI. am 11. September kurz vor 21 Uhr das Priesterseminar erreichte, da konnte er das Haus nicht wie früher einfach durch die Pforte betreten. Nachdem das Papamobil die große Toreinfahrt passiert hatte, fuhr es an der Südfront entlang zum Garteneingang, der im Westen liegt. Für das Papamobil war ein Zelt als „Garage" aufgestellt. Von hier aus führte ein Durchgang ins Haus. Zur Begrüßung hatte sich das gesamte Mitarbeiterteam des Priesterseminars versammelt: vom Regens über das Küchen- und Reinigungspersonal bis hin zum Pförtner. Apropos Regens: Gottfried Dachauer, der dieses Amt zum 1. September an seinen Nachfolger Martin Priller übergeben hatte, war trotzdem noch für die Organisation des Papst-Besuchs zuständig – „nicht mehr im Amt, aber noch im Dienst", wie er das nannte.

Übernachtung im „Bischofszimmer"

In den Wochen vorher hatte Dachauer dafür gesorgt, dass alles Notwendige für den Aufenthalt des Heiligen Vaters gerichtet wurde. Als Wohnung war von Anfang an „das ganz normale Bischofszimmer" vorgesehen: ein 40-Quadratmeter-Appartement mit Schlafraum, Arbeitszimmer und Nasszelle. Auf dem Schild neben der Eingangstür, wo sonst ein schlichtes „Gast 2.046" zu lesen ist, stand nun unter dem päpstlichen Wappen „Seine Heiligkeit Benedikt XVI". Das Appartement war bisher nur einmal benutzt worden – vom Glasgower Erzbischof Mario Conti, der im November 2005 zur Eröffnung der Ausstellung „Scoti Peregrini – 800 Jahre irisch-schottische Kultur im Schottenkloster St. Jakob" nach Regensburg gekommen war.

Die Einrichtung könnte man als „nostalgisch-schlicht" bezeichnen. Im Schlafraum ein dunkelbraunes Bett mit einem geschnitzten „Gute Nacht"-Wunsch auf der Kopfseite, ein roter Plüschsessel, ein Holzstuhl und auf dem blauen PVC-Boden ein Teppich mit Orientmuster. An der Wand über dem Gebetsstuhl hing eine Darstellung der Muttergottes mit durchbohrter Brust – Hinweis auf das Fest „Sieben Schmerzen Mariae" am 15. September. Auch die Josefs-Figur auf der Kommode im Flur war bewusst gewählt worden – die Leihgabe aus dem Diözesanmuseum erinnerte an Joseph Ratzingers Namenspatron. Weiteren Bezügen zu seiner Person konnte der Papst im Treppenhaus und vor dem Fahrstuhl begegnen: Gemälden, die den heiligen Benedikt und den Apostelfürsten Petrus zeigten.

Der extra eingerichtete Andachtsraum nahe dem Appartement diente dem Papst zu Eucharistiefeier und Gebet.

Bald nach der Ankunft am 11. September wurde das Abendessen eingenommen. Während sich das Gefolge im großen Speisesaal am Büfett bediente, aß der Heilige Vater oben im 1. Stock im kleinen Kreis – außer dem Bruder und den engsten Mitarbeitern waren Gottfried Dachauer und vier weitere Mitglieder der Seminarleitung dabei. Die Frage der Verköstigung des Papstes hatte wochenlang die Medien beschäftigt, aber außer Gerüchten drang nichts durch die Mauern des ehemaligen Schottenklosters. Mittlerweile bestätigt Geschäftsführer Gerhard Haller, dass beim vorbereitenden Besuch des Reisemarschalls Alberto Gasbarri tatsächlich der legendäre Satz „niente funghi" („keine Schwammerln") gefallen war. Ansonsten wurden keine Sonderwünsche geäußert. Die Menüfolge will man im Priesterseminar aber auch jetzt nicht preisgeben – mit Ausnahme des allzu Selbstverständlichen: Einen Kaiserschmarrn habe der Heilige Vater natürlich bekommen, denn sein absolutes Lieblingsgericht wollte man ihm auf keinen Fall vorenthalten.

Verstärkung für das Küchenteam

Für die Zubereitung von Kaiserschmarrn gibt es in Regensburg zwei 1a-Adressen: Agnes Heindl, die Haushälterin von Bruder Georg, und Herbert Schmalhofer, den Chef des Restaurants „Bischofshof" am Dom. In diesem Fall kam Schmalhofer zum Zug. Der ehemals Thurn und Taxissche Küchenmeister kennt die Vorlieben des Papstes seit langem, da die Ratzingers in seinem Lokal häufig eingekehrt sind. Schmalhofer, seine Frau Monika und weitere „Bischofshof"-Mitarbeiter verstärkten während der „heißen Tage" im September das Küchenteam des Priesterseminars rund um Gabriele Hauer, die hauswirtschaftliche Betriebsleiterin. Sie und ihre Stellvertreterin Monika Kellner haben die Zusammenarbeit als „reibungslos und harmonisch" empfunden: „Es war ein richtiges Miteinander – man hat gar nicht gemerkt, dass die Leute vom Bischofshof vorher noch nie in unserer Küche waren."

Diese Harmonie wirkte sich offensichtlich auch auf die Qualität des Essens aus. Der von Agnes Heindl verwöhnte Georg Ratzinger jedenfalls lobt die Bewirtung im Haus am Bismarckplatz als „sehr gut". Überhaupt hat er die „schöne, friedliche und gelöste Atmosphäre" dort genossen. Das Zimmer des früheren Domkapellmeisters („Gast 2.045") lag direkt neben dem Appartement des Papstes, der seinem sehbehinderten Bruder am Privat-Tag, dem Mittwoch, das Brevier vorbetete. Am Mittwoch- und Donnerstagmorgen feierten beide, zusammen mit den Sekretären Gänswein und Mokrzycki, die Heilige Messe. Dafür war eines der größeren Zimmer am Papstflur in einen Andachtsraum verwandelt worden. Die Schwestern der Heimatmission aus der nahe gelegenen Wittelsbacherstraße hatten kurzerhand einige Sakralgegenstände aus der eigenen Hauskapelle zur Verfügung gestellt – etwa einen Tabernakel mit Peter-und-Paul-Motiv und einen Ambo mit Verkündigungsszene.

Im abgeschlossenen Wohnbereich des zweiten Stocks war auch ein Frühstücksraum für die „päpstliche Familie" eingerichtet, während das Abendessen jeweils in einem größeren Speiseraum im 1. Stock serviert wurde. Im Speisesaal, der sich im Erdgeschoss befindet, aß der Papst nur einmal – am Dienstagmittag nach dem Gottesdienst auf dem Islinger Feld. An diesem Mittagsmahl nahmen alle römischen Gäste zusammen mit den Vorständen des Priesterseminars und den vier Mallersdorfer Schwestern, die das Haus betreuen, teil. Das Abendessen am 12. September fand wiederum im kleineren Kreis statt, zu dem diesmal auch der langjährige Ratzinger-Vertraute, Thaddäus Kühnel, und der neue Regens, Martin Priller, gestoßen waren.

DEUS CARISTAS EST ist eingraviert in den Benedikt-Brunnen im Priesterseminar.

Ein Brunnen für Papst Benedikt

Im Anschluss an dieses Essen führte Priller durchs Gebäude. Dabei erläuterte er das Konzept des Papst-Brunnens, der im ehemaligen Brunnenhaus zu Ehren Benedikts angelegt worden war. Wie in einer Quelle läuft das Wasser über drei flache, kreisrunde Stufen nach außen – Symbol für die Dreifaltigkeit, aber auch die drei Dimensionen der Liebe: Gottesliebe, Menschenliebe, Selbstliebe. Die Aufschrift des Brunnens verweist auf die Enzyklika „Deus Caritas Est" und soll für alle Zeiten an den historischen Besuch des Pontifex erin-

nern: „Papst Benedikt XVI., Priesterseminar St. Wolfgang, 11.-14. September 2006". Der Rundgang führte auch kurz in die Schottenkirche, aus der das Kreuz für die Altarinsel des Islinger Feldes entliehen worden war. Überall, so Regens Priller, habe sich gezeigt, „wie sehr der Papst hier zuhause ist". Besonders angetan sei er vom Innenhof des Kreuzgangs gewesen – „für ihn eine Oase mitten in der Innenstadt". Schon deshalb erfüllte sich die Hoffnung von Gottfried Dachauer, dem Heiligen Vater im ehemaligen Schottenkloster „einen Ort der Ruhe anzubieten, wo er sich von seinem anstrengenden Programm ein bisschen erholen kann".

Freilich gab es auch hier einige kleinere „Termine". So traf der Papst am Morgen des 13. Septembers kurz vor der Orgelweihe, seine Verwandten, die Familien Messerer und Rieger, sowie seinen alten Universitätskollegen, Professor Heinrich Groß. Auch der Wunsch, eine dem Papst gestiftete Kopie des Gnadenbilds der Alten Kapelle zu überreichen, ging in Erfüllung. Darüber berichtete die „Mittelbayerische Zeitung" wie folgt: „Am Mittwoch Abend gelang es den Ehepaaren Christine und Georg Hahn und Rosemarie und Marc Loerke sowie der Stifterin Dr. Stern noch, das Bild dem Papst in einer kleinen Privataudienz symbolisch zu übergeben. Die Inhaberin der Ikonen-Galerie, Christine Hahn, überglücklich: ‚Mein Mann und ich haben den Marien-Hymnus gesungen: Unter Deinem Schutz und Schirm. Es war wunderschön.'" Die Übergabe fand in der Brunnenkapelle statt, wo das Duplikat des Gnadenbilds seinen dauernden Platz erhält. Bei dieser Gelegenheit signierte Benedikt XVI. auch das Jugendkreuz des Bischöflichen Jugendamtes, das während der Vorbereitung auf den Papst-Besuch zum Einsatz gekommen war – ein weiteres Zeichen bleibender Verbundenheit.

Von Benedikt vollends begeistert zeigte sich das Personal des Priesterseminars. Gabriele Hauer, die Chefin der Hauswirtschaft, bekam nur positive Rückmeldungen: „Jedem hat er das Gefühl gegeben, wichtig zu sein, und das hat die Leute glücklich gemacht." Ihre eigenen Beobachtungen bestätigen das: „Es ist sehr schön, das miterlebt zu haben. Die Ruhe und Ausstrahlung, die der Papst hat, übertrug sich auf seine ganze Umgebung. Da konnte man ja gar nicht hektisch sein!" Umgekehrt gab es viel Lob vom päpstlichen Gefolge für die Betreuung im Haus. Aus dem Umfeld von Reisemarschall Gasbarri war mehrfach das Wort „perfetto" zu hören. Die Kardinäle Karl Lehmann und Friedrich Wetter schwärmten: „Wir würden gerne wiederkommen."

Wie wohl sich die Gäste im Haus fühlten, das illustriert Regens Martin Priller mit einer kleinen Geschichte, die sich am Abend des 13. Septembers zugetragen hat: „Es war am privaten Besuchstag des Papstes. Ein Sicherheitsbeamter, der den ganzen Tag über nur wenig gegessen hatte, kam auf die Idee, Pasta zu kochen – nicht, weil ihm unser Essen nicht geschmeckt hätte, sondern aus reiner Lebensfreude. Natürlich hat er, wie in Italien üblich, ‚für die ganze Familie' gekocht, so dass am Ende tatsächlich ein ganzer Tisch beisammensaß."

So wurde es für beide Seiten ein bewegender Abschied, als der 14. September angebrochen war. Kardinal Angelo Sodano zelebrierte an diesem Donnerstagmorgen in der Hauskapelle des Priesterseminars einen Gottesdienst für das Gefolge, während der Papst wieder im kleinsten Kreis die Messe las. Zum Aufbruch der Gäste war, wie bei der Begrüßung, das gesamte Personal des Hauses versammelt. „Danke für die gute Zeit, die ich hier verbringen durfte", sagte Benedikt und verabschiedete sich von jedem der Anwesenden mit Handschlag. Viele hatten einen „Kloß im Hals". Besonderen Wert legte der Papst darauf, dass auch die Mallersdorfer Schwestern mit dabei waren: Schwester Angelina, Schwester Carmina, Schwester Malberta und Schwester Leopoldina – die beiden letzteren kannte Joseph Ratzinger schon aus seiner Zeit als Erzbischof von München und Freising.

Beharrlicher Segenswunsch

Und noch jemand aus München war da: eine Mutter mit ihrer behinderten Tochter. Die Frau hatte tags zuvor bei der Alten Kapelle ausgeharrt und darauf gehofft, dass der Papst vorüberkommen und ihre Tochter segnen würde. Als das nicht geschah, fuhr sie mit der 16-Jährigen wieder heim nach München. Doch die Sache ließ ihr keine Ruhe. Sie rief im Regensburger Priesterseminar an und erkundigte sich bei Gottfried Dachauer, wann Benedikt am Abend zurückerwartet wurde. Unbedingt wollte sie sich unter die Zaungäste mischen und erneut ihr Glück versuchen. Mutter und Tochter fuhren also wieder nach Regensburg. Doch auch am Abend kam es zu keiner Begegnung. Erst als Bischof Gerhard Ludwig Müller und Papstsekretär Georg Gänswein von der Sache erfuhren, wurde eine Lösung gefunden. Frau und Tochter sollten am nächsten Morgen bei der Verabschiedung im Priesterseminar mit dabei sein und dann endlich ihren Segen bekommen. So geschah es auch. „Benedicere" heißt „Segen spenden". Und mit dem Segen Benedikts fuhren beide heim.

Die modern gestaltete Hauskapelle des Priesterseminars

Orgelpfeifen und kleine Fluchten

Auftakt des privaten Besuchstags – Die Orgelweihe in der Alten Kapelle

Viel war geschrieben worden über den privaten Besuchstag des Heiligen Vaters am 13. September. Wie frei würde Benedikt sich bewegen können? Was würde es zum Mittagessen geben? Wer würde bei den Ratzinger-Brüdern im Pentlinger Haus vorbeischauen dürfen – vom Gemeindefotografen bis hin zu Kater Chico? Bereits bei der Auftaktpressekonferenz zu den Vorbereitungen für die Bayern-Visite hatten führende Kirchenvertreter um Zurückhaltung gebeten. „Wir müssen dem Heiligen Vater als Mensch einfach zugestehen, dass er an diesem Tag allein sein kann", warb der Regensburger Bischof Gerhard Ludwig Müller für eine Respektierung der Privatsphäre des Familienmenschen Joseph Ratzinger. Und Kardinal Friedrich Wetter forderte von den anwesenden Journalisten: „Lassen Sie dem Heiligen Vater diesen persönlichen Tag und verfolgen Sie ihn nicht mit Ihren Kameras!"

Dass ein Papst aber nicht so einfach „abtauchen" kann, um als Privatmann einen Tag lang in der Anonymität zu verschwinden, wurde spätestens dann deutlich, als es um die Planung der Orgelweihe in der Alten Kapelle ging. Bei der Zusammenstellung der Gästeliste erkannte Stiftsdekan Hubert Schöner schnell, dass ein paar hundert Leute zusammenkommen würden. Als „geschlossene Veranstaltung" im eigentlichen Sinn war das nicht mehr zu bezeichnen. Die Anfrage des Bayeri-schen Rundfunks, die Weihe der Papst-Benedikt-Orgel live im Fernsehen übertragen zu dürfen, gab schließlich den Ausschlag: Wenn der BR filmte, musste man auch andere Medien zulassen; wenn aber die Medien mit dabei waren, konnte man nicht mehr von einem privaten Termin sprechen. So wurde der ursprünglich für einen kleinen Kreis gedachte Festakt zu einem offiziellen Ereignis.

So weit bekannt, ist eine Orgelweihe durch einen Papst nirgendwo sonst nachgewiesen. Insider des Regensburger Kirchenlebens sind deshalb felsenfest davon überzeugt, dass es die Segnung ohne die private Freundschaft zwischen Hubert Schöner und dem Papst nicht gegeben hätte. Schöner selbst – seit 1997 Mitglied des Stiftskapitels der Alten Kapelle und seit 2004 dessen Dekan – bestätigt nur, dass er Joseph Ratzinger schon 1968 kennengelernt hat. Professor Ratzinger, damals gerade auf dem Sprung von Tübingen nach Regensburg, besuchte mehrmals im Jahr seinen Bruder Georg, den Leiter der Regensburger Domspatzen. Schöner war bei den Domspatzen von 1968 bis 1972 Internatsdirektor. Die in diesen Jahren geknüpfte Freundschaft intensivierte sich noch, als Schöners Schwester Agnes Heindl 1994 Haushälterin des mittlerweile emeritierten Domkapellmeisters geworden war. Vor allem seit dem Eintritt des heutigen Dekans ins Kollegiatstift Unserer Lieben Frau zur Alten Kapelle, das nur einen Steinwurf weit von der Wohnung des Papstbruders in der Luzengasse entfernt ist, traf man sich regelmäßig während der Urlaubsaufenthalte des Kardinals in Regensburg. „Wir waren wie eine große Familie", erzählt Hubert Schöner.

Die neue Orgel wurde in das Rokoko-Gehäuse eingebaut; darunter das Wappen Papst Benedikts XVI.

Unverhoffter Besuch in der Luzengasse

Nicht nur durch diese Kontakte erhielt die Orgelweihe am Ende doch noch eine persönliche Note. Der Heilige Vater selbst trug dazu bei, indem er seinen Sicherheitsbeamten ein Schnippchen schlug. Zunächst war geplant gewesen, vom Priesterseminar mit dem Auto zur Alten Kapelle zu fahren, wo um 11 Uhr die Liturgie beginnen sollte. Aber dann gab der Papst eine andere Fahrtroute in Auftrag, weil er unbedingt vorher noch in der Luzengasse vorbeischauen wollte. Agnes Heindl wäre vor Schreck fast der Kochlöffel aus der Hand gefallen, als sie plötzlich den Domkapellmeister und gleich danach seinen Bruder sah. „Ja, Heiliger Vater, ist denn in der Alten Kapelle schon alles vorbei? Ich bin ja noch gar nicht mit dem Essen fertig", rief sie verdattert. Benedikt beruhigte: „Nein, nein, aber ich konnte nicht anders, es hat mich einfach hergezogen ins Haus."

Schließlich gingen die beiden Ratzinger-Brüder zu Fuß zur Basilika Alte Kapelle. Auf dem kurzen Weg dorthin trafen sie auf Vorstandsmitglieder der Jüdischen Gemeinde, die vor dem Gemeindezentrum warteten, das an die Luzengasse grenzt. Es sollte nicht das letzte Mal an diesem Tag sein, dass man sich gegenseitig begrüßte. Vor der Alten Kapelle nahm sich der Papst zudem wieder Zeit für die Zaungäste und schüttelte vielen Menschen die Hände. Durch seinen Ausflug zum Haus des Bruders kam er nun allerdings von anderer Seite zur Basilika als ursprünglich geplant, so dass manche Schaulustige am Kornmarkt vergeblich warteten. In der Basilika lief bereits ein Vorprogramm: Der Chor der Alten Kapelle unter der Leitung von Stiftskapellmeister Josef Kohlhäufl sang Kompositionen mit Regensburg-Bezug – Werke, deren Schöpfer hier wirkten, oder solche, die Eingang in die Regensburger Kirchenmusiktradition gefunden haben. Auch das „Sanctus" und das „Dona nobis pacem" aus der Messe „L'Anno Santo" des Papstbruders Georg Ratzinger kam zur Aufführung.

Ein Geschenk aus Liechtenstein

Mit der Orgel, die an diesem Tag geweiht werden sollte, hatte es eine eigene Bewandtnis. Dass es von der ersten Planung bis zur Fertigstellung nur ein gutes Jahr dauerte, war umso erstaunlicher, als man sich das gewünschte Instrument ursprünglich eigentlich gar nicht hätte leisten können. Nach der aufwändigen Sanierung der Alten Kapelle in den Jahren 1990 bis 2002 waren die Finanzmittel des Stifts zunächst erschöpft. Als 2005 die Planung für eine neue Orgel doch wieder aufgenommen wurde, dachte man für die Verwirklichung des Projekts an einen Zeitraum von bis zu acht Jahren. Doch dann kam es zur Begegnung mit der liechtensteinischen Gedächtnisstiftung Peter Kaiser, die sich für den Erhalt von christlichem Kulturgut einsetzte. Weil die Alte Kapelle einen weiteren Stiftungszweck erfüllt – die Werke des in Liechtenstein geborenen Komponisten Josef Gabriel Rheinberger (1839-1901) werden hier regelmäßig aufgeführt – konnte man sich rasch einigen. Die neue Orgel sollte dem Papst als Geschenk der Peter Kaiser Gedächtnisstiftung vermacht werden, Benedikt XVI. aber verfügte, dass das Instrument ins Eigentum des Stifts überzugehen habe. Die Papst-Benedikt-Orgel mit ihren 2448 Pfeifen wurde von der Schweizer Firma Mathis vom 1. Mai bis zum 14. Juli 2006 in das Rokoko-Gehäuse der Vorgänger-Orgel eingebaut und in den Wochen danach intoniert. Die Kosten betrugen rund 730 000 Euro. Mit der Schenkung wird auch der Bezug zwischen Johannes Paul II. und Benedikt XVI. verdeutlicht, denn 2002 hatte die Stiftung dem Papst aus Polen ebenfalls eine Orgel gewidmet – sie steht in der Sixtinischen Kapelle in Rom.

Es war genau 11.08 Uhr an diesem Mittwoch, dem 13. September, als Benedikt XVI. in die Alte Kapelle einzog. Der 100-köpfige Chor, unterstützt von Bläsern und Pauken, sang das Lied „Jauchzet dem Herren alle Welt". Das Blitzlicht der Fotografen brach sich im Weiß und Gold der Rokoko-Ausstattung dieses Gotteshauses,

dessen Geschichte bis ins 9. Jahrhundert zurückreicht. Vorne vor dem Volksaltar nahm der Papst auf einem roten Samtstuhl Platz, unter dem bayerischen Rautenwappen hoch oben an der Decke. Bei der Begrüßung fand Stiftsdekan Hubert Schöner besonders persönliche Worte. Er sprach Benedikt als „hochverehrten, lieben Heiligen Vater" an und fuhr fort: „Das Stiftskapitel Unserer Lieben Frau zur Alten Kapelle und alle im Gotteshaus grüßen Sie, Heiliger Vater, ganz herzlich. Sie sind in diese Kirche gekommen, von der es in den alten Schriften heißt, sie sei die ‚Mutter aller Gotteshäuser' und der ‚Lateran' jenseits der Alpen." Schöner erinnerte daran, dass einer der Vorgänger des jetzigen Papstes, dessen Namensvetter Benedikt VIII., dem Kaiserpaar Heinrich und Kunigunde im Jahr 1014 in Rom ein Marienbild überreicht habe, das als Gnadenbild „zum Herzstück unserer Kirche wurde".

Dann ging der Stiftsdekan auf den eigentlichen Zweck der heutigen Feier ein: „Heiliger Vater, Sie segnen diese neue Orgel, die uns wie ein Geschenk des Himmels gegeben wurde, und die Ihren Namen trägt. Möge diese Orgel immer zur Ehre Gottes ertönen und unsere Herzen zum Lob des Dreifaltigen Gottes erheben. Die Freude, die wir empfinden, kann nicht in Worten ausgedrückt werden." Auch Professor Herbert Batliner, der Präsident der Gedächtnisstiftung Peter Kaiser, richtete ein Grußwort an den Papst. Er unterstrich die Vertrautheit Benedikts XVI. mit der Alten Kapelle, die eine „herausragende Heimstätte großer Kirchenmusik" sei, und bedankte sich dafür, „Ihnen, Heiliger Vater, die Papst-Benedikt-Orgel widmen zu dürfen". Batliners Wort von der Orgel als „Königin der Instrumente, die zugleich Dienerin Gottes ist", wies auf die Lesung aus dem Buch Judit voraus, wo es heißt: „Ich singe meinem Gott ein neues Lied; Herr, du bist groß und voll Herrlichkeit. (...) Dienen muss dir deine ganze Schöpfung. Denn du hast gesprochen, und alles entstand."

Einige hundert geladene Gäste begrüßten den Papst in der Alten Kapelle.

Herzlich begrüßte der Papst Professor Herbert Batliner,
Präsident der Gedächtnisstiftung Peter Kaiser,
welche die neue Orgel ermöglicht hat.

„Das ist der Tag, den der Herr gemacht!"
Stiftsdekan Hubert Schöner begrüßte den Heiligen Vater.

Dem Heiligen Vater Papst Benedikt XVI. ist diese Orgel gewidmet

von der Gedächtnisstiftung
Peter Kaiser (1793–1864)
unter Vorsitz ihres Präsidenten
Prof. Dr. Dr. Herbert Batliner
Vaduz–Fürstentum Liechtenstein
AD 2006

Wie man Disharmonien beseitigt

Der Papst betonte in seiner Ansprache, dass Musik und Gesang „mehr als eine Zierde des Gottesdienstes" seien: „Feierliche Kirchenmusik mit Chor, Orgel, Orchester und Volksgesang ist keine die Liturgie umrahmende und verschönernde Zutat, sondern eine wichtige Weise tätiger Teilnahme am gottesdienstlichen Geschehen." Speziell die Orgel mit der „Vielfalt ihrer Klangfarben" könne „alle Bereiche des menschlichen Seins zum Klingen bringen" und „uns irgendwie an die Unbegrenztheit und Herrlichkeit Gottes erinnern".

Aufhorchen ließ der Heilige Vater mit einer Redepassage, in der er das Zusammenklingen der Orgelstimmen mit der Situation in der Kirche verglich: „In einer Orgel müssen die vielen Pfeifen und Register eine Einheit bilden. Klemmt es hier oder dort, ist eine Pfeife verstimmt, dann ist das zunächst vielleicht nur für ein geübtes Ohr vernehmbar. Sind mehrere Pfeifen nicht mehr richtig gestimmt, gibt es Disharmonien, und es wird unerträglich. Das ist ein Bild für unsere Gemeinschaft. Wie in der Orgel eine berufene Hand immer wieder die Disharmonien zum rechten Klang vereinen muss, so müssen wir auch in der Kirche in der Vielfalt der Gaben und Charismen immer neu durch die Gemeinschaft des Glaubens den Einklang im Lob Gottes und in der geschwisterlichen Liebe finden."

Zur Orgelweihe selbst sprach Benedikt XVI. ein Segens-
gebet. Bei den Worten „Segne diese Orgel, damit sie zu
deiner Ehre ertöne" hob der Papst die rechte Hand zum
Kreuzeszeichen. Nach dem Gebet besprengte er das
Instrument mit Weihwasser – zumindest symbolisch,
denn er tat es von seinem Platz vor dem Volksaltar
aus; direkt zur Orgel hinaufzugehen, war schon aus
Sicherheitsgründen nicht möglich.

Gehen wir nun auf die Empore, Herr Gänswein?
Heiliger Vater, wir bleiben lieber hier unten.

„In dieser festlichen Stunde bitten wir dich:
Segne diese Orgel, damit sie zu deiner Ehre ertöne …"

Stiftskapellmeister, Professor Josef Kohlhäufl, bot ein musikalisches Programm, das den Vorlieben des Pontifex entsprach.

„Bach für Benedikt" – intonierte Stiftsorganist, Professor Norbert Düchtel.

Auf die „Taufe" folgte die Premiere: Genau um 11.39 Uhr begann Stiftsorganist Norbert Düchtel sein Spiel – dem Anlass entsprechend mit der berühmten Toccata und Fuge in d-Moll von Johann Sebastian Bach. „Eindrucksvoll und in wunderbarer Form", so schwärmte tags darauf die „Mittelbayerische Zeitung", verwirklichte er damit „die zuvor gehörten Segenswünsche, den Lobpreis des Herrn in der Musik zu erfüllen und zu mehren". Auch beim abschließenden Gemeindegesang – zwei Strophen „Großer Gott, wir loben dich" – und beim Auszug – Norbert Düchtel interpretierte eine Toccata von Josef Rheinberger – zeigte die neue Orgel noch einmal, was in ihr steckt. Das Urteil von Papstbruder Georg Ratzinger: „Sie klingt sehr edel und hat überhaupt nichts Plärriges."

Durch die Gnadenkapelle verließ der Papst das Gotteshaus.

Hoffen auf einen „geistlichen Aufbruch"

Benedikt XVI. verließ das Gotteshaus nicht, ohne vorher die Gnadenkapelle besucht zu haben. Zusammen mit Bischof Gerhard Ludwig Müller kniete er vor dem Gnadenbild nieder und verharrte eine Zeit lang im Gebet. Anschließend verabschiedete er sich auf dem stillen Vorplatz des Heiligtums von jedem der sieben Stifts-

kapitulare persönlich. Wieder war es Hubert Schöner, der in einer besonders herzlichen Geste die Hand des Heiligen Vaters umfasste und ihm dankte.

Für den Stiftsdekan hat mit der Orgelweihe nicht nur die Renovierung der Basilika einen krönenden Abschluss gefunden – er hofft nun auch auf einen „geistlichen Aufbruch für die Alte Kapelle, vor allem für die Gnadenkapelle". Sollte das älteste Marienheiligtum Bayerns wieder zu einem Wallfahrtsort werden, dann können die Stiftskapitulare nicht nur das Gnadenbild zeigen, sondern auch das Geschenk, das der Heilige Vater für sie aus Rom mitgebracht hat: einen schönen Messkelch mit Vatikanwappen, den Trauben und Ähren als Symbole für Wein und Brot zieren. Vielleicht wird aber auch einer jener Olivenzweige noch vorhanden sein, die für die Besucher der Orgelweihe in den Kirchenbänken bereitlagen. Das Symbol des Friedens – eine passende Erinnerung an den Friedenspapst Benedikt XVI. und seinen Aufenthalt in der Basilika Unserer Lieben Frau zur Alten Kapelle.

Herzlicher Abschied von den Stiftskanonikern

Die Ansprache des Papstes bei der Orgelweihe in der Alten Kapelle
Dokumentation im Wortlaut

Liebe Freunde!

Dieses altehrwürdige Gotteshaus, die Basilika Unserer Lieben Frau zur Alten Kapelle, ist prachtvoll renoviert und erhält mit dem heutigen Tag eine neue Orgel, die in dieser Stunde gesegnet und so feierlich ihrem Zweck, der Verherrlichung Gottes und der Auferbauung des Glaubens, übergeben wird.

Von einem Kanoniker dieses Stiftes, Carl Joseph Proske, gingen im 19. Jahrhundert wesentliche Impulse zur Erneuerung der Kirchenmusik aus. Der gregorianische Choral und die altklassische Vokalpolyphonie wurden in den liturgischen Ablauf integriert. Die Pflege der liturgischen Kirchenmusik in der Alten Kapelle war von überregionaler Bedeutung und machte Regensburg zu einem Zentrum der kirchenmusikalischen Reformbewegung, deren Auswirkung bis in die Gegenwart reicht.

In der Liturgie-Konstitution des II. Vaticanums (Sacrosanctum Concilium) wird verdeutlicht, dass „der mit dem Wort verbundene gottesdienstliche Gesang ein notwendiger und integrierender Bestandteil der feierlichen Liturgie ist" (vgl. Nr. 112). Das bedeutet, dass Musik und Gesang mehr als eine Zierde des Gottesdienstes, nämlich selbst dem Vollzug der Liturgie zugehörig ist. Feierliche Kirchenmusik mit Chor, Orgel, Orchester und Volksgesang ist keine die Liturgie umrahmende und verschönende Zutat, sondern eine wichtige Weise tätiger Teilnahme am gottesdienstlichen Geschehen. Die Orgel wird seit alters und zu Recht als die Königin der Instrumente bezeichnet, weil sie alle Töne der Schöpfung aufnimmt und die Fülle des menschlichen Empfindens zum Schwingen bringt. Darüber hinaus weist sie, wie alle gute Musik,

über das Menschliche hinaus auf das Göttliche hin. Die Vielfalt ihrer Klangfarben, vom Leisen bis zum überwältigenden Fortissimo, erhebt sie über alle anderen Instrumente. Alle Bereiche des menschlichen Seins kann sie zum Klingen bringen. Die vielfältigen Möglichkeiten der Orgel mögen uns irgendwie an die Unbegrenztheit und Herrlichkeit Gottes erinnern.

Im Psalm 150 werden Hörner und Flöten, Harfen und Zithern, Zimbeln und Pauken genannt, all diese Instrumente sollen zum Lob des dreifaltigen Gottes beitragen. In einer Orgel müssen die vielen Pfeifen und die Register eine Einheit bilden. Klemmt es hier oder dort, ist eine Pfeife verstimmt, dann ist dies zunächst vielleicht nur für ein geübtes Ohr vernehmbar. Sind mehrere Pfeifen nicht mehr richtig gestimmt, gibt es Disharmonien, und es wird unerträglich. Auch die Pfeifen dieser Orgel sind Temperaturschwankungen und Ermüdungseinflüssen ausgesetzt. Das ist ein Bild für unsere Gemeinschaft. Wie in der Orgel eine berufene Hand immer wieder die Disharmonien zum rechten Klang vereinen muss, so müssen wir auch in der Kirche in der Vielfalt der Gaben und der Charismen immer neu durch die Gemeinschaft des Glaubens den Einklang im Lob Gottes und in der geschwisterlichen Liebe finden. Je mehr wir uns durch die Liturgie in Christus verwandeln lassen, um so mehr werden wir fähig sein, auch die Welt zu verwandeln, indem wir die Güte, die Barmherzigkeit und Menschenfreundlichkeit Christi ausstrahlen.

Die großen Komponisten haben je auf ihre Weise mit ihrer Musik letztlich Gott verherrlichen wollen. Johann Sebastian Bach hat viele seiner Partituren mit den Buchstaben S.D.G. überschrieben, Soli Deo Gloria – Gott allein die Ehre. Und Anton Bruckner setzte den Satz voraus: Dem lieben Gott gewidmet. Mögen alle Besucher dieser herrlichen Basilika von der Pracht dieses Bauwerkes über die Liturgie mit dem Wohlklang der neuen Orgel und dem festlichen Gesang zur Freude am Glauben geführt werden.

Der Papst „genoß" die Bewegungsfreiheit; neben ihm Bischof Martin Kivuva aus Kenia

Als es wirklich privat wurde

Die Besuche des Papstes bei seinem Bruder und im Pentlinger „Häusl"

Für Agnes Heindl begann der private Besuchstag des Heiligen Vaters mit einer Schrecksekunde. Als sie morgens um halb neun Uhr von ihrer Wohnung in der Königsstraße die kurze Strecke zur Luzengasse gehen wollte, wäre sie fast an einem Sicherheitsbeamten gescheitert. Georg Ratzingers Haushälterin hielt einen Suppentopf in der Hand, in dem sie am Abend vorher Fleischbrühe vorgekocht hatte. Als Agnes Heindl den verdutzten Gesichtsausdruck des jungen Mannes sah, sagte sie trocken: „In dem Topf ist keine Bombe drin, sondern die Suppe für den Heiligen Vater – und wenn Sie mich nicht durchlassen, bekommt er nichts zu essen!" Schließlich durfte die Köchin des mittäglichen Festmahls die Absperrung doch passieren, allerdings nur in Begleitung eines zweiten Beamten, den der erste herbeigeholt hatte. „Der ist sogar mit in die Küche gekommen und nicht von meiner Seite gewichen, bis ich den Topf abgestellt hatte."

Agnes Heindl war froh, dass es keine größeren Verzögerungen gegeben hatte, denn die Zubereitung des Papst-Menüs war für sie, wie Georg Ratzinger das formulierte, „die große Stunde ihres Lebens". Der 81-jährigen Küchenchefin, die am Herd regierte, standen ihre beiden Schwestern, Elisabeth Schöner und Bärbel

Männer, zur Seite. Die eine half beim Zutragen und Servieren, die andere sorgte dafür, dass immer frisch gespültes Geschirr zur Verfügung stand. Bis auf die kleine Unterbrechung gegen halb elf Uhr, als der Papst und sein Bruder überraschend vorbeischauten, konnten die drei Geschwister ungestört arbeiten. Um die Zusammenstellung des Menüs hatte es wochenlang Spekulationen gegeben, aber Agnes Heindl hielt dicht wie eine Auster. Überlegt, gelassen und mit einer Prise Mutterwitz, wie es ihre Art ist, ging die Haushälterin des Papst-Bruders an die Aufgabe heran, Benedikt XVI. zu bekochen. „Aufgeregt", so erzählte sie später, sei sie eigentlich nicht gewesen, „nur beim Fleisch einer Lende, war meine Sorge, dass ich den richtigen Zeitpunkt erwische: Sie muss zwar durch sein, darf aber gleichzeitig nicht zu hart sein".

Mittlerweile war die Orgelweihe in der Alten Kapelle zu Ende gegangen. Benedikt hatte die Basilika durch den Südeingang verlassen. Begleitet von seinem Bruder Georg, von Bischof Gerhard Ludwig Müller, Reisemarschall Alberto Gasbarri und Sicherheitskräften, ging er zu Fuß die etwa 150 Meter zu Georg Ratzingers Wohnhaus. Bereits nach wenigen Schritten traf er mitten in der abgesperrten Zone auf einen alten Bekannten, den früheren CSU-Bundestagsabgeordneten Benno Zierer, und begrüßte ihn freundlich. In den umliegenden Gebäuden winkten Bewohner aus den Fenstern, fotografierten und klatschten. Eine Frau rief begeistert: „Heiliger Vater, ich grüße Sie!" Als er in die Luzengasse einbiegen wollte, vernahm Benedikt aus etwa 50 Metern Entfernung, von der Königsstraße her, laute „Benedetto, Benedetto"-Rufe. Spontan entschloss sich der „Mann in Weiß", an die Absperrung zu gehen und einigen Menschen die Hände zu schütteln. Bischof Müller nahm bereitwillig Babys auf den Arm und hielt sie dem Heiligen Vater zum Segnen hin.

Auf dem Gang zum „Bruderhaus" machte Benedikt noch einmal kurz Halt, um sich erneut bei der Jüdischen Gemeinde zu bedanken, die einen Teil des päpstlichen Trosses zum Mittagessen geladen hatte – jenen Teil nämlich, der nicht beim vorgesehenen Ausflug des Gefolges nach Weltenburg und Rohr dabeisein konnte. Der Regensburger Bischof hatte eine entsprechende Bitte gegenüber der Jüdischen Gemeinde geäußert und eine spontane Zusage erhalten.

„Zubringerdienst": Die beiden Winzlinge standen Bischof Gerhard Ludwig gut.

Bussi und Segen für die Kleinen; ihnen galt Benedikts besondere Liebe und Herzlichkeit.

Fleißige Hände hatten die Luzengasse und das Wohnhaus Georg Ratzingers mit viel Grün, Blumen und einem Transparent der Marianischen Männerkongregation geschmückt.

Ein Hauch von Fronleichnam

Das Haus in der Luzengasse, das dem Kollegiatstift St. Johann gehört, dessen Mitglied Georg Ratzinger ist, war festlich geschmückt. Blumen in allen Fenstern, zwei große, gelb-weiße Kirchenfahnen, ein roter Teppich, der quer durch den Vorhof zur Eingangstür führte und von 16 Buchsbaumkugeln gesäumt war. Fürstin Gloria von Thurn und Taxis hatte eigens Birkenbäumchen aus dem Fürstlichen Tiergarten zur Verfügung gestellt, die nun einen Hauch von Fronleichnam verbreiteten. Quer über dem Garagentor war ein blaues Transparent der Marianischen Männer-

kongregation befestigt, das bereits beim Weltjugendtag 2005 in Köln zum Einsatz gekommen war: „Die MMC Regensburg grüßt herzlich ihr Ehrenmitglied – unseren Hl. Vater Benedikt XVI." MMC-Präses, Prälat Heinrich Wachter, ist gleichzeitig Dekan des Stifts St. Johann, und als solcher hatte er dafür gesorgt, dass eine bronzene Gedenktafel am Haus angebracht wurde. Unter dem päpstlichen Wappen und dem Wappen des Stifts ist zu lesen: „Das Stiftskapitel von St. Johann erinnert an den Besuch des Hl. Vaters Benedikt XVI. bei seinem Bruder Georg Ratzinger am 13. Sept. 2006". Wachter hatte im Vorfeld des Papst-Besuchs auch die Idee mit den Papst-Flaggen für Autos gehabt – ähnlich den Deutschlandfähnchen während der Fußball-Weltmeisterschaft. Mehr als 8000 Stück wurden verkauft. Die sechs Stiftskanoniker von St. Johann waren vollständig zur Begrüßung Benedikts versammelt: neben Heinrich Wachter und Georg Ratzinger noch Josef Meier, Albert Kreuzer, Josef Rubenbauer und Administrator Konrad Dobmeier.

Auf Anregung seines Dekans, Heinrich Wachter, hatte das Stiftskapitel St. Johann diese Tafel gestiftet.

Beim Mittagsmahl im kleinen Kreis: Stiftsdekan Hubert Schöner, Stiftsdekan Heinrich Wachter, Georg Ratzinger, Bischof Gerhard Ludwig und der Papst.

Frau Agnes Heindl (l.) und ihre Schwestern bereiteten das Fest-Menü.

Punkt 12.15 Uhr – eine halbe Stunde später als geplant – betrat der Papst das Haus, in dem er die Mittagsstunden verbringen wollte. Vor dem Essen wurde oben im 1. Stock, auf der blumengesäumten Dachterrasse, ein Martini als Aperitif gereicht. Nach etwa 30 Minuten rief Agnes Heindl zum Mittagsmahl in die „gute Stube" im Erdgeschoss. Es war ein ausgesucht kleiner Kreis, der mit dem Papst am runden Tisch saß: Georg Ratzinger, Bischof Gerhard Ludwig Müller, die zwei Stiftsdekane Heinrich Wachter und Hubert Schöner, der alte Ratzinger-Freund Thaddäus Kühnel aus München und der kenianische Bischof Martin Kivuva, der als junger Theologiestudent im Hause Heindl gewohnt hatte und seitdem mit zur Familie gehört.

Für die Teilnehmer des Essens, wenn auch noch immer nicht für die neugierigen Journalisten, war nun das große Geheimnis gelüftet: Agnes Heindls Papst-Menü. Besonders stolz ist die Köchin darauf, „dass es etwas gegeben hat, das niemand vorausgesagt hat". Zum Auftakt wurde eine klare Suppe mit geschnittenen Brezen und Brätnockerln serviert. Das Hauptgericht: Zwiebelrostbraten mit selbstgemachten Spätzle in dunkler Soße, dazu Gelbe-Rüben-Gemüse und ein frischer grüner Salat mit Tomaten. Die Getränke: wahlweise Rot- oder Weißwein. Als Nachtisch hatte sich die Köchin etwas Besonderes für den Süßspeisenliebhaber Benedikt ausgedacht: Nein, keinen Kaiserschmarrn, sondern eine Ananascreme nach einem französischen Rezept, das Agnes Heindl auch jetzt nicht verrät. Dass es dem Papst hervorragend geschmeckt hat, gibt sie aber gerne zu, auch wenn er seinen Zwiebelrostbraten nicht ganz schaffte. „Wir sind halt doch schon alte Leute", meinte der 79-Jährige schmunzelnd, „wir zwingen nicht mehr so viel". Nach dem Essen unterzeichnete Benedikt XVI. Autogramme für Freunde der Tischrunde, die diesen Wunsch an ihre Bekannten herangetragen hatten.

Die Gesprächsthemen beim Mittagessen waren vor allem privater Natur, obwohl sich Benedikt auch sehr für Informationen aus erster Hand über die Kirche in Deutschland und speziell im Bistum Regensburg interessierte. Einen gewissen Raum nahm die Beurteilung der neuen Orgel in der Alten Kapelle ein. Sehr angetan war der Pontifex von dem positiven Echo auf seinen Besuch. Insgesamt, so die Teilnehmer, herrschte eine ungezwungene, heitere Atmosphäre, in der sogar Witze erzählt wurden – „allerdings keine kracherten", wie Georg Ratzinger verriet. Nach dem Essen, das bis kurz vor zwei Uhr nachmittags dauerte, zog sich der Heilige Vater für etwa eine Stunde zur Siesta zurück – in jenem Nebenzimmer der „guten Stube", in dem er bei seinen früheren Besuchen oft gearbeitet hatte. Die Tür des Zimmers, über der seit vielen Jahren sein Kardinalswappen an die Wand gemalt ist, wurde übrigens bewacht – von einem Steiff-Teddybären in Schweizergarde-Uniform, der auf einem Sofa gleich neben der Tür sitzt.

Freilich wachte auch Agnes Heindl über den Schlaf ihres berühmten Gastes: Als ein Hubschrauber genau zu diesem Zeitpunkt über dem Haus lärmte, lief die resolute Küchenchefin auf die Straße und sagte streng zu einem der Sicherheitsbeamten: „Was macht ihr für einen Radau, der Heilige Vater will schlafen!" Und tatsächlich, kurze Zeit später drehte der Hubschrauber ab. Nach der Geschichte mit dem Suppentopf und dem plötzlichen Auftauchen der Ratzinger-Brüder am Vormittag war das Agnes Heindls „dritter Schreckmoment" an diesem historischen 13. September. Alle drei Überraschungen hat sie mit Bravour gemeistert. Die größte Leistung aber war sicherlich ihr gelungenes Mittagessen. Deshalb ist sie besonders stolz auf ein Foto, das sie und ihre beiden Schwestern zusammen mit dem Papst zeigt: „Der Heilige Vater wollte unbedingt haben, dass wir mit ihm fotografiert werden, und als ich dazu die Schürze ausziehen wollte, da hat er es mir strikt verboten."

„Schmeckt's ihnen, Herr Gänswein?"
Ein Teil des Gefolges Papst Benedikts war am 13. September mittags Gast der Jüdischen Gemeinde von Regensburg.

Ähnlich ungezwungen war die Atmosphäre im Jüdischen Gemeindezentrum, schräg gegenüber der Luzengasse 2. Die 15 diensthabenden Mitglieder des päpstlichen Gefolges – unter ihnen Georg Gänswein, Alberto Gasbarri und Benedikts Leibarzt Renato Buzzonetti – ließen sich ebenfalls ihr Mittagessen schmecken. In der Küche der Gemeinde waren die koscheren Speisen zubereitet worden: Hähnchenschenkel und Kalbsbraten, Petersilienkartoffeln, Salat, Ananasscheiben mit Kirschen als Nachtisch. Außerdem gab es Zwetschgenkuchen, Obst und Kaffee. Hans Rosengold, 82-jähriges Vorstandsmitglied der Jüdischen Gemeinde, war ganz der Charmeur, als den man ihn kennt. Er sorgte für Getränkenachschub, bot Knabbergebäck an und unterhielt die italienischen Gäste auf Spanisch. Das hatte er

ebenso wenig verlernt wie seine Kenntnisse im Gaststättengewerbe – Rosengold war im Exil 12 Jahre lang als Koch in Buenos Aires tätig gewesen. Gegenüber der „Mittelbayerischen Zeitung" schwärmte er nach dem Mittagessen: „Das Erlebnis heute war grandios. Es hat uns alle hier sehr berührt. Es war eine äußerst sympathische, liebenswürdige Begegnung."

Benedikt XVI. und sein Bruder waren mittlerweile auf der Fahrt nach Pentling. Kurz nach 15 Uhr, als man die BMW-Limousine bestieg, hatte der Papst noch einmal den Gastgebern seines Trosses, die wieder am Eingang des Gemeindezentrums standen, zugewinkt. Den wohl intimsten Moment der ganzen Bayern-Reise erlebte Benedikt dann auf dem Ziegetsdorfer Friedhof, wo seine Eltern und seine Schwester Maria begraben sind. Obwohl der Besuch am Familiengrab vom Bayerischen Fernsehen übertragen wurde, war die Privatsphäre vor Ort gewahrt: Nur Bischof Müller, Gemeindepfarrer Johann Pelg von Regensburg-Ziegetsdorf, Papstsekretär Georg Gänswein und der frühere Sekretär Josef Clemens nahmen neben den Ratzinger-Brüdern daran teil. Es war für die Fernsehzuschauer bewegend, wie der Papst auf einem kleinen Gebetsstuhl niederkniete und minutenlang für die Verstorbenen betete. Dann stand er auf und sprengte Weihwasser auf das Grab, das mit einem großen, kugelrunden Bukett aus roten Rosen und weißen Lilien geschmückt war. Bevor Benedikt wieder ins Auto stieg, ging er noch kurz in die Ziegetsdorfer Sankt-Josef-Kirche, in der er früher oft die Messe gelesen hatte.

Auf dem Weg zum Ratzinger-Grab am Friedhof von Regensburg-Ziegetsdorf; im Gespräch mit Pfarrer Johann Pelg von St. Josef

Stilles Gedenken am Grab von Eltern und Schwester

Ist es ein Abschied für immer?

Umjubelte Einkehr in „seinem" Pentling. Darauf hat sich Papst Benedikt sicherlich gefreut.

Wiedersehen mit Pentling

In Pentling, nur wenige hundert Meter entfernt, wurde der Papst von Nachbarn, Freunden und alten Bekannten begeistert begrüßt. Hinter den Absperrungen warteten auch viele Kinder. Der gepanzerte 7er BMW hielt vor dem Haus Bergstraße Nr. 6 – die berühmteste Adresse der Stadtrandgemeinde. Vor der Garage war ein Blumenteppich ausgelegt: „Grüß Gott dahoam." Auf der angrenzenden Bundesstraße B16 skandierten Trauben von Menschen „Benedetto"-Rufe. Nach einem ersten Bad in der Menge begrüßte der Papst das Ehepaar Hofbauer – seine Hausverwalter und Vertrauten, die monatelang am „Papst-Haus" gearbeitet hatten, um es für den Besuch herauszuputzen. Lange hielt Benedikt die Hand von Therese Hofbauer und

dankte für all die Mühen. „Mia hams überlebt", sagte Frau Hofbauer. Dann entdeckte der Heilige Vater auch Rupert Hofbauer und ging freudestrahlend auf ihn zu: „Ja, griaß Eahna God, Herr Hofbauer", rief der Papst in reinstem Oberbayerisch aus, „und die scheene bayerische Bundlederhosn, des gfoit ma!"

Dann ging es noch einmal an die Absperrgitter zum Händeschütteln. Auch die elfjährige Jessica Walter durfte ein paar Worte mit dem Papst reden. Und was hat Benedikt gesagt? „Dass die Tracht, die ich anhabe, sehr schön ist", erzählt sie später. Sie hatte bereits kurz nach der Papstwahl einen Brief nach Rom geschrieben, mit der Bitte um ein Autogramm – und durch Vermittlung der Hofbauers klappte es tatsächlich: Nach 14 Tagen bereits kam ein Papstbild mit Unterschrift.

Er ist einer von uns!

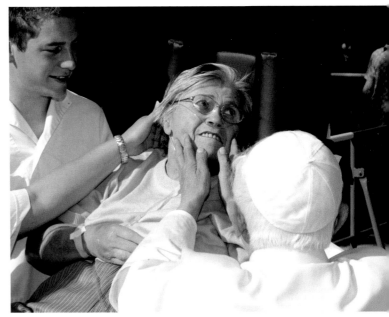

Gespräch mit dem Media-Manager Helmut Brossmann

Aus Herrnsaal bei Kelheim brachte man die schwerkranke Hedwig Röll.

Immer wieder ging der Papst bis an die Sperren; er grüßte, schüttelte Hände, segnete ...

Kinder – immer wieder Benedikts große Liebe

Dr. Michael Schörnig vertrat die Kath. Dt. Studentenver-
bindung Rupertia im CV zu Regensburg. Der Papst ist ihr
Ehrenmitglied.

Gut gelaunt unterhielt sich Don Giorgio mit den Pentlingern.

Abschiedsgruß aus dem Garten, bevor Papst Benedikt in sein Haus ging – zum letzten Mal?

„Wir haben uns gefühlt wie immer"

Um 16.08 Uhr betraten die Ratzinger-Brüder das Haus. Vorübergehend gab es Wirbel, weil kolportiert wurde, ein Paparazzi-Fotograf habe ein Foto durch das Wohnzimmerfenster geschossen. Doch dann stellte sich heraus, dass es nur eine Fotomontage war. Der erste Gang führte „Joseph und Georg" – genau das waren sie in diesem Augenblick wieder – in den ersten Stock hinauf. Im Wohnzimmer ruhten sie sich zunächst etwas von den vorhergehenden Strapazen aus. Der Papst, so Georg Ratzinger im Rückblick, habe sich etwas überrascht darüber gezeigt, dass die draußen wartenden Menschen so nah am Haus standen, aber so sei es wenigstens möglich gewesen, sie persönlich zu begrüßen. Beide Brüder freuten sich sehr über die vielen Aufmerksamkeiten – über den Blumenteppich, den die Mutter eines ehemaligen Domspatzen zusammen mit einer Bekannten gestaltet hatte, über das Kreuz an der Westwand der Garage, das Weidener Berufsschüler angebracht hatten, oder über den liebevoll angelegten Garten, um den sich Therese Hofbauer und Mitglieder des Hildegard-Vereins gekümmert hatten.

„Wir haben uns gefühlt wie immer", beschreibt Georg Ratzinger die Stimmung dieses Nachmittags. Nur als sie einmal, der alten Gewohnheit folgend, auf den Balkon hinausgehen wollten, merkten sie, dass doch manches anders war: „Wir haben gesehen, wie viele Leute noch immer draußen standen, da haben wir lieber darauf verzichtet." Dafür machten es sich die beiden Brüder dann beim Abendessen so richtig gemütlich. „Wie eh und je" saßen sie einander in der Küche gegenüber und aßen, was ihnen Schwester Berna von den Domspatzen vor ihrer Ankunft in Pentling hergerichtet hatte. Schwester Berna – sie hatte sich mehr als 20 Jahre im Urlaub um Joseph Ratzinger gekümmert – durfte eigens ihre Tätigkeit beim Domchor verlängern, um „diesen letzten Dienst tun zu können nach alter Sitte". Da sie im vergangenen Jahr 70 Jahre alt geworden ist, sollte sie eigentlich schon ins Mutterhaus nach Mallersdorf zurückkehren. Gleich nach dem Papst-Besuch haben die Domspatzen sie voller Wehmut verabschiedet. Und was gab es zum Abendessen in der Bergstraße 6? Eine kalte Platte mit verschiedenen Wurstsorten, eine Sulz aus dem Regensburger „Spitalgarten", Brot und etwas Obst. Später, im Priesterseminar, winkte der

Papst auf die Frage, ob er noch einen Imbiss wolle, ab: „Danke, heit hob i dahoam gessen." Oben in Pentling, als die beiden Brüder mit dem Abendbrot fertig waren, hätten sie gerne abgespült, denn auch das war über all die Jahre so üblich gewesen. Aber Agnes Heindl hatte es ihnen am Nachmittag verboten, als sie es in der Luzengasse angekündigt hatten. Also ließen sie es – und genossen die verbleibende Zeit. Georg Ratzinger über die Gefühle seines Bruders: „Das Pentlinger Häusl mag er sehr gern – denn der schönste Palast hat natürlich nicht das, was ein Einfamilienhäusl hat."

Viele der Zaungäste draußen am Straßenrand hielten die ganzen Stunden über durch, um bis zum Schluss dabei zu sein. Gegen 19 Uhr kamen die beiden Brüder in den Garten herunter und machten einen kleinen Spaziergang. Sie unterhielten sich dabei – auch das wie früher, wenn der Kardinal die Sommermonate hier verbrachte. Kurze Zeit nach dem Spaziergang war es bereits so weit: Der Papst brach auf. Er trat vor die Haustür und sprach in ein Mikrofon, das ihm gereicht worden war: „Liebe Freunde, mein Pentling-Tag geht zu Ende. Ich möchte euch einfach Danke sagen für den Empfang, den ihr mir bereitet habt. Hier bin ich zu Hause, wir bleiben auch in Zukunft miteinander verbunden. Vergelt's Gott."

Rupert Hofbauer hatte Tränen in den Augen, als er diesen Abschied erlebte. Für ihn und seine Frau war der 13. September 2006 „überwältigend" und „ein Riesenerlebnis". Am meisten, so sagt er, habe ihn die Freundlichkeit des Papstes beeindruckt, der lange Händedruck „und der Dank, den uns der Heilige Vater ausgesprochen hat". Und dann lüftet Rupert Hofbauer das zweitgrößte Geheimnis des „privaten Papst-Tages" – die Frage, ob Kater Chico zu den Ratzinger-Brüdern ins Haus hinein durfte. „Chico war tatsächlich im Papst-Garten heute, aber es waren ihm zu viele Menschen, und da ist er abgehauen." Vielleicht gibt es aber trotzdem ein Wiedersehen. Rupert Hofbauer: „Ich hoffe sehr, dass der Heilige Vater wiederkommt."

Besonders herzlich ist der Papst seinen treuen Hausmeistern, dem Ehepaar Hofbauer, verbunden.

Die „Altneihauser Feierwehrkapelln" spielte auf.

Das hoffen sicher auch jene 1000 Pentlinger, die vor dem Feuerwehrgerätehaus vergeblich darauf warteten, dass Benedikt bei ihnen noch einmal aussteigen würde. Doch während der Runde im Dorf, die der Papst zum Abschluss eingelegt hatte, beließ er es beim Vorbeifahren – bevor er endgültig ins Priesterseminar zurückkehrte. Auch die zunächst Enttäuschten aber waren damit gemeint, als er vor seinem „Häusl" sagte: „Hier bin ich zu Hause, wir bleiben auch in Zukunft miteinander verbunden."

Sie waren ebenso gemeint, als der Pontifex am 14. September auf dem Münchner Flughafen Abschied von Bayern nahm. Er tat es mit den Worten: „Unauslöschlich trage ich in meinem Herzen den bewegenden Eindruck, den die Begeisterung und die spürbar starke Religiosität der großen Massen von Gläubigen in mir ausgelöst hat, die in andächtiger Sammlung beim Hören des Wortes Gottes und im Gebet verharrten und mich auf Straßen und Plätzen begrüßt haben. Es waren intensive Tage, und in meinem Gedächtnis konnte ich viele Ereignisse der Vergangenheit, die mein Leben geprägt haben, noch einmal neu erleben. Überall bin ich mit größter Zuvorkommenheit und Aufmerksamkeit, ich muss mehr sagen: mit größter Herzlichkeit empfangen worden. Das hat mich tief beeindruckt."

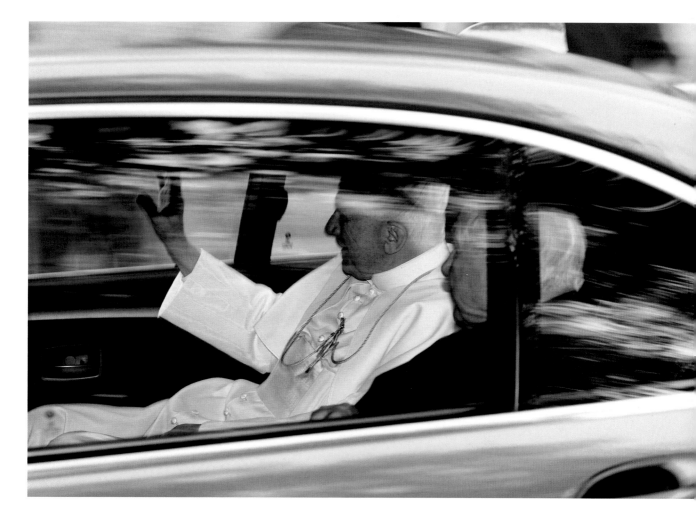

Lebt wohl, liebe Pentlinger!
Kurz nach 20 Uhr verließ
der Konvoi des Papstes die
Gemeinde.

„Hier bin ich zu Hause; wir
bleiben auch in Zukunft miteinander verbunden."

139

Abschied
von der Heimat

... nach intensiven Tagen, nach bewegenden Eindrücken und Begegnungen mit vertrauten Menschen und Stätten – und Erinnerungen.

Vor dem Einstieg begrüßte der Papst die Crew.

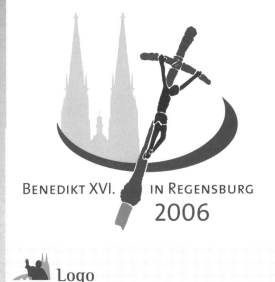

BENEDIKT XVI. IN REGENSBURG
2006

Logo

Das Logo zeigt einen blauen Bogen, der an die Donau erinnert und Symbol ist für die Lebendigkeit des religiösen Lebens der Diözese Regensburg sowie für die Aufbruchstimmung durch den Papstbesuch.

Die schematische Darstellung des Regensburger Doms ist in gelb gehalten. Die Kirchenfarbe deutet auf die Aspekte der Festigkeit und Beständigkeit des Doms – und des Glaubens. Ein weiteres Element ist der Kreuzstab des Papstes (Ferula). Als Zeichen der Würde des Amtes des Pontifex ist der Kreuzstab dem Papst vorbehalten. Im Logo ist der Kreuzstab in blau, der Corpus Christi in rot gehalten. Die liturgische Farbe rot steht für den Opfer- und Märtyrertod wie auch für das Feuer des Heiligen Geistes. Der blaue Bogen formt mit dem Dom ein Kirchenschiff. Der päpstliche Kreuzstab erscheint als Mast bzw. Segel, das das Schiff der Kirche antreibt. Der blaue Bogen scheint in das Kreuz überzugehen, wodurch die Verbindung der Kirche von Regensburg mit dem Papst und der Weltkirche versinnbildlicht wird. Der Schriftzug „Benedikt XVI. in Regensburg" ist in rot gehalten wie auch der Corpus des Kreuzstabes – als Hinweis auf die Stellung des Papstes als Stellvertreter Christi auf Erden.Der Schriftzug des Logos bildet das feste Fundament im sonst recht dynamischen Aufbau der Darstellung und trägt Kreuzesstab und Kirchenschiff. Das Logo besteht aus den Grundfarben rot, gelb und blau, aus denen alle anderen Farben hervorgehen. So zeigt sich das kirchliche Attribut der Katholizität, das heißt der Allumfassendheit des katholischen Glaubens, auch in den Farben – geeint unter dem Oberhaupt, Papst Benedikt XVI. – mit Jesus Christus als Zentrum des Glaubens.

Papst Benedikt und das Bistum Regensburg
Stationen einer Beziehung

November 1969: Professor Dr. Joseph Ratzinger übernimmt einen der beiden Lehrstühle für Dogmatik und Dogmengeschichte an der Katholisch-theologischen Fakultät der Universität Regensburg.

1970: Bau und Bezug eines Hauses in Pentling.

1974: Überführung der sterblichen Überreste der Eltern Joseph Ratzingers und des Grabsteins auf den Friedhof von Ziegetsdorf.

Mai 1977: Berufung zum Erzbischof des Bistums München-Freising, deshalb Ernennung zum Honorarprofessor der Universität Regensburg (was Papst Benedikt noch heute ist).

Mai 1987: Ernennung zum Ehrenbürger von Pentling.

Juli 1994: Als Päpstlicher Sondergesandter Hauptzelebrant bei der 1000-Jahr-Feier des Todes des hl. Wolfgang auf dem Domplatz.

Oktober 2002: Als Päpstlicher Sondergesandter Hauptzelebrant des Festgottesdienstes in St. Emmeram zu Regensburg anlässlich des 950-jährigen Jubiläums der Heiligsprechung der Diözesanpatrone Wolfgang und Erhard.

Mai 1977 – Januar 2005: Alljährlich mehrere Aufenthalte und Urlaube im eigenen Haus; „Hier bin ich wirklich daheim".

Juni 2006: Ernennung zum Ehrenbürger von Regensburg.

11. – 14. Sept. 2006: Aufenthalt in Regensburg, der längste auf seiner Bayern-Reise.

„Pilgerpapst und Papstprofessor"

Die Regensburger Tage Benedikts XVI. im Spiegel der Presse

Etwa 3.000 Journalisten aus aller Welt haben über den Besuch Benedikts XVI. in Bayern berichtet. In Deutschland räumten regionale und überregionale Zeitungen diesem Ereignis viel Platz ein. Die folgenden Auszüge dokumentieren, dass der Papst auch während seines Aufenthalts in Regensburg die Kommentatoren beschäftigte.

„Papst Benedikt versteht es, seiner Herde wieder Mut zu machen, gibt ihr in diesen verwirrenden Zeiten wieder einen verlässlichen Kompass, versucht ihr die verloren gegangene Freude am Glauben wieder zurückzugeben. Es ist eine wichtige und eine schlichte Botschaft und doch eine so mühsame."

„Straubinger Tagblatt", 13. 9. 2006

„Mit der Ökumenischen Vesper im Regensburger Dom hat Papst Benedikt XVI. nach seiner Begrüßungsrede am Münchener Flughafen ein weiteres deutliches Zeichen für seinen Willen zur Einheit der Christen gesetzt."
„Mittelbayerische Zeitung", Regensburg, 13. 9. 2006

„Benedikt XVI. ist nicht nach Bayern gekommen, um die Auffassungen des Vatikan auf den Kopf zu stellen. Er ist nicht angereist, um hier und jetzt die Dogmen der Kirche über Bord zu werfen. Er geht vielmehr mit Bedacht vor, weil resolute Vorstöße auf Dauer gar nicht akzeptiert, vielleicht noch größere Wunden reißen, jedenfalls keine Früchte tragen würden."

„Der Neue Tag", Weiden, 13. 9. 2006

„Zurück zu den Anfängen – das könnte das Motto sein für die Bayern-Reise von Benedikt XVI. In diesen Tagen kehrt der Papst an die Orte seiner Vergangenheit zurück. Zurück zu den Anfängen – diese Maxime predigt das Oberhaupt auch der katholischen Kirche."

„tz", München, 13. 9. 2006

„Es ist der neue päpstliche Cantus Firmus, den Benedikt XVI. an jeder Station seiner Deutschlandreise variiert. Es ist sein Bemühen um eine gemeinsame Neuentdeckung des christlichen Profils (...). Die wohl letzte Reise des Papstes zu den Orten, wo er Kind, Lehrer und Bischof war, neigt sich dem Ende zu. In Rom ist er alles zugleich. Der Abschied ist ein Aufbruch zum Rest der weiten Weltkirche außerhalb Bayerns."

„Die Welt", Berlin, 13. 9. 2006

„Was der Papst den versammelten Ehrengästen aus Forschung und Lehre sagt, dürfte eine der besten und klarsten Zusammenfassungen dessen sein, was der Gelehrte Joseph Ratzinger zum Verhältnis von Glaube und Vernunft gesagt hat – ein Thema, das ihn auch als Professor beschäftigte. (...) Ein dreiviertelstündiger Vortrag, der zeigt: Der Papst ist immer noch ein Weltgelehrter. Ein Text, der tief in die Gedankenwelt Joseph Ratzingers hineinführt, einschließlich der Frage, die seine Thesen offen lassen: Welcher Art ist der Glaube, der da aufs Neue mit der Vernunft zusammenleben soll – ein festgefügter oder einer, der Dialog und Diskussionsprozesse erkennt?"

„Süddeutsche Zeitung", München, 13. 9. 2006

„Während des Besuchs in Bayern ist das zentrale Anliegen von Benedikts Pontifikat deutlich geworden: Er will der Gewalt und dem religiösen Fanatismus eine christliche Botschaft von Liebe, Glaube und Vernunft entgegensetzen."

„Der Tagesspiegel", Berlin, 13. 9. 2006

„Die Volksfrömmigkeit von Altötting und das Christentum als Logos – Religion der wahren Vernunft, der Pilgerpapst und der Papstprofessor – das ist die Spannweite der Bayernreise Benedikts XVI. Im Grunde ist das seine eigene Geschichte: Als Kind einfacher Leute mit klarem, starken Glauben aufgewachsen, dann zu einem

subtilen Intellektuellen seiner Zeit geworden, hat er eigentlich immer die Anfänge retten, bewahren, verteidigen wollen. Den ‚Glauben der Kleinen' vor dem wegwerfenden Hochmut der Modernisierer zu schützen, hat er als Kardinal und Dogmenhüter zum Kern seiner Aufgabe erklärt. Dass beides zusammengehen kann, ein schlichtes Herz und ein komplizierter Kopf, das ist das Ratzingersche Lebens- und Kirchenprojekt."

„Die Zeit", Hamburg, 14. 9. 2006

„Benedikt ist kein Romantiker des Dialogs und kein Beschwichtiger. Er sagt es klar: Christen dürfen nicht der Versuchung erliegen, das eigene zentrale Bekenntnis abzuschwächen oder gar zu verstecken. Das christliche Gottesbild muss ganz und nicht bruchstückhaft zur Sprache gebracht werden. (...) Dabei fordert er nicht, sondern bittet und wirbt. Das ist die neue Sprache der Kirche."   „Rheinischer Merkur", Bonn, 14. 9. 2006

„Was für eine Bandbreite! Wir haben den Papst beten, singen, predigen gehört; wir haben den Seelsorger erlebt und den Kirchenpolitiker; wir sahen Benedikt mit Menschen reden, Kinder segnen; wir erlebten ihn als Kirchenführer und als (fast) privaten Menschen; er hat gelacht, er war ernst, er war hoch konzentriert. (...) Der Papst sechs Tage in Bayern – das Wir-Gefühl der katholischen Kirche in unserem Land ist einen entscheidenden Schritt vorangekommen – das ist sicher."
„Mittelbayerische Zeitung", Regensburg, 14. 9. 2006

„Seit fünf Tagen ist nun der Papst hier, und so wie er hält auch das herrliche Wetter durch, Grund genug für die Beobachter (oder osservatori, wie man in diesem Fall wohl besser sagt), von einem Papstwetter zu reden und dabei launig auf die Connections Benedikts zu seinem Vorgänger Petrus, dem alten Wettermacher, zu verweisen."

„Süddeutsche Zeitung", München, 14. 9. 2006

„Benedikt XVI. hat mittlerweile seinen unverwechselbaren Stil als Oberhaupt der katholischen Kirche gefunden; während der Bayern-Reise konnte er diesen Stil in seinem ganzen Facettenreichtum vor der Weltöffentlichkeit präsentieren. Faszinierend war dabei nicht nur die Fähigkeit des Papstes, in immer wieder neuen Situationen auf die Menschen zuzugehen sei es beim

Bad in der Menge, sei es bei spontanen Gesten aus dem Papamobil heraus, sondern auch die Variationsbreite seiner Predigten. Die Ansprachen dieser Reise, eigentlich ein zusammenhängender, großer Text, sollten den ganzen Menschen erreichen und sozusagen Nahrung für Körper, Seele und Geist bieten."

„Passauer Neue Presse", 15. 9. 2006

„Die farbenfrohen Bilder aus München, Altötting und Regensburg werden vielen noch lange im Gedächtnis bleiben. Mit seinen Worten aber hat Benedikt XVI. Geschichte geschrieben. Denn nicht Heimattümelei war das Thema seiner Reise, sondern die Verteidigung des christlichen Abendlands auch gegen sich selbst. (...) Benedikt XVI. verteidigte nicht weniger als das Erbe der europäischen Aufklärung, das durch eine manichäische Scheidung der Welt in Gläubige und Ungläubige, in ‚für uns' und ‚gegen uns' bedroht ist."

„Frankfurter Allgemeine Zeitung", 15. 9. 2006

„Zu den eindrucksvollsten Augenblicken während des Besuches von Papst Benedikt XVI. gehörten jene Momente bei den großen Gottesdiensten in München und Regensburg, in denen der Papst seine Stimme erhebt und der Jubel der Hunderttausenden, die den Papst begeistert feiern, schlagartig einer aufmerksamen Stille weicht. Die Gläubigen hören auf das Wort ihres Hirten, und seine Worte sind gewichtig."

„Katholische Sonntagszeitung für das Bistum Regensburg", 16./17. 9. 2006

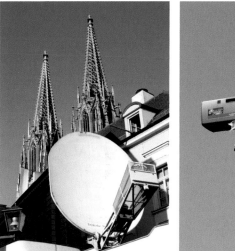

Schlagzeilen vom „Kirchenvolksfest"

„Wir haben heute ein Stück Himmel erlebt"
„Bild", Hamburg, 13. 9. 2006

„Eine ganze Stadt strahlt"
„Mittelbayerische Zeitung", Regensburg, 13. 9. 2006

„Ein scharfer Geist und Gewinner der Herzen"
„tz", München, 13. 9. 2006

„Wirklich daheim: Als Papst Benedikt XVI. kehrt der Professor Ratzinger an seine Regensburger Universität zurück und zieht die theologische Summe seines Lebens"
„Frankfurter Allgemeine Zeitung", 13. 9. 2006

„Festivallaune an einem Festtag"
„Passauer Neue Presse", 13. 9. 2006

„Mir sind wirklich Tränen in den Augen gestanden"
„Straubinger Tagblatt", 13. 9. 2006

„Heimspiel für den Papst"
„Rheinischer Merkur", Bonn, 14. 9. 2006

„Er ist einer von uns"
„Katholische Sonntagszeitung für das Bistum Regensburg", 16./17. 9. 2006

„Der Heilige Vater ist sicher ein Vorbild für die Verkündigung"

Bischof Gerhard Ludwig Müller will die Dynamik des Papstbesuchs für die künftige Arbeit im Bistum Regensburg nutzen.

Im Interview mit Karl Birkenseer erläutert er seine Pläne.

„Der Glaube führt uns zusammen und schenkt uns ein Fest": Diesen Satz sagte der Heilige Vater gleich am Anfang seiner Predigt auf dem Islinger Feld. Wie haben Sie, Herr Bischof, dieses Fest erlebt, und was hat Sie am meisten beeindruckt?

Bischof Gerhard Ludwig: Bei der pastoralen Vorbereitung, die der Heilige Vater sehr gelobt und anerkannt hat, wurde immer großer Wert darauf gelegt, dass sein Besuch ein Fest des Glaubens und auch ein Ausdruck der katholischen Lebensfreude ist. Es handelt sich also in keiner Weise um eine Art christlichen Personenkult, um ein „Pope-seeing", sondern um ein Element der Seelsorge und der Verkündigung. Hier kommt der

An dem Interview, das der Autor dieses Buches mit Bischof Gerhard Ludwig Müller führte, nahm auch Monika Hoffmann von der Bischöflichen Pressestelle teil.

Grundauftrag der Kirche zum Zug, indem der Universalhirte der ganzen Kirche uns das Wort Gottes verkündet und mit uns die Eucharistie feiert. Insofern war der Gottesdienst auf dem Islinger Feld vom Theologischen und Religiösen her der Höhepunkt des Besuchs in Regensburg, denn die Eucharistie ist Quelle und Höhepunkt allen christlichen Tuns und Wirkens der Kirche.

Der Heilige Vater hat in seiner Predigt gleichsam diese beiden Elemente aufgegriffen. Zunächst einmal die Frage: Was ist eigentlich ein Fest? Sind wir überhaupt dazu berechtigt, unseren Glauben, unser christliches Leben von der Feierlichkeit eines Festes her zu interpretieren? Darauf können wir guten Gewissens mit Ja antworten, denn es handelt sich dabei um die Frohe Botschaft, dass es am Ende mit unserem menschlichen Dasein gutgehen kann: „Gott lässt alles denen, die ihn lieben, zum Besten gereichen", das steht im Römerbrief des Apostels Paulus.

Als zweites hat der Heilige Vater die Frage analysiert: Was ist eigentlich Glaube – Glaube im Sinne des Glaubensbekenntnisses? Manche halten den Glauben für eine subjektive Betroffenheit, so als ob es im Glauben nichts Objektives und Wahres gäbe. Aber das christliche Glaubensbekenntnis sagt, dass wir im Bekenntnis der Kirche, der wir als einzelne angehören, uns auf einen objektiven Grund beziehen, auf eine Quelle, in der Gott sich selbst uns Menschen als die Wahrheit offenbart, die auch unser menschliches Dasein umfasst und innerlich aufhellt, unseren Weg erleuchtet und Sinnorientierung gibt. Sie macht deutlich, dass der Mensch nicht von einem Nihil (einem Nichts) herkommt – und deshalb gibt es auch keinen Anlass für einen Nihilismus, mit seiner Begleiterscheinung, dem Zynismus, dem Leben gegenüber. Der christliche Glaube ist vielmehr eine Botschaft des Vertrauens, der Hoffnung und der Liebe. Deshalb ergibt sich aus dem Christlichen eine innere Sinngestalt, die sich auch im menschlichen Miteinander und Zueinander ausdrückt.

Der Bayern-Besuch des Papstes liegt hinter uns. Vielleicht können wir versuchen, anhand der wichtigsten Wegstationen hier in Regensburg einen Blick in die Zukunft zu werfen und uns zu fragen, was bleiben wird von diesem Besuch, welche Impulse von ihm ausgehen sollten. Sie planen ja ein „Jahr der Erneuerung": Geht es dabei um eine systematische Auseinandersetzung mit den Inhalten des Besuchs, oder vertrauen Sie da eher auf den kreativen Umgang der einzelnen Gläubigen in den Pfarrgemeinden mit dem, was sie hier in Regensburg erlebt haben?

Bischof Gerhard Ludwig: Wir müssen sicher beides machen. Zunächst einmal ist es so, dass sehr viele Menschen sich dafür interessieren, die Predigten und Ansprachen des Papst-Besuchs nachzulesen. Aber es soll nicht nur der einzelne angesprochen werden, denn wir sind ja im Glauben immer als Gemeinschaft verfasst. Insofern können die Gedanken, die der Heilige Vater geäußert hat, auch Gegenstand einer Bildungsveranstaltung werden, eines Vortrags etwa, in dem das Ganze noch einmal zusammengefasst und vertieft wird. Darüber hinaus haben wir vor, im Jahr 2008, Stadtmissionen im Bistum Regensburg durchzuführen – nicht nur in der Stadt Regensburg, sondern auch in den anderen größeren Städten unseres Bistums –, um so die dynamische, missionarische Kraft, die vom Papst-Besuch ausgegangen ist, in die große Bewegung der Neuevangelisierung einzubringen.

Bereits in München, beim Auftakt des Bayern-Besuchs, hat Benedikt XVI. das Thema Evangelisierung angesprochen. Sie dürfe, so sagte er, nicht weniger wichtig genommen werden als das soziale Engagement der Kirche …

Bischof Gerhard Ludwig: Ja, das ist richtig. Denn wir dürfen nicht einfach von der vorhandenen Substanz leben und sagen „Unsere und die nächste Generation hält's noch aus". Es muss immer wieder neu Energie in die Kirche eingespeist werden, und wir müssen reagieren auf die Zukunftsherausforderungen und damit die

Kirche zukunftsfähig machen. Wir verstehen uns als pilgerndes Gottesvolk, das nicht an einer Stelle stehen bleibt, sich da gemächlich einrichtet, sich selbst in einer großen Vergangenheit bespiegelt und die Zukunft dabei verschenkt oder verschläft. Die Kirche versteht sich als Sakrament des Heils der Welt. Deshalb muss jede Generation neu in diesen Prozess hineingenommen werden, so dass auch die jungen Christen befähigt werden, die aktiven Rollen in der Kirche zu übernehmen. Das tun wir schon seit geraumer Zeit. Der Papst-Besuch aber mit all dem, was dabeigewesen ist – die große Gemeinschaftserfahrung, das Wissen, dass wir nicht allein sind, sondern diesem großen Gottesvolk angehören –, ist eine gute Hilfe dafür, dass wir unsere Aufgabe als Kirche auch in die Zukunft hinein prägen und gestalten können.

Sie haben erwähnt, dass Sie 2008 Stadtmissionen im Bistum Regensburg durchführen wollen. Was genau verstehen Sie darunter?

Bischof Gerhard Ludwig: Ursprünglich war das Christentum, wenn man es soziologisch beschreiben will, eine Stadtreligion. Es richtete sich an Menschen, die in einem bestimmten kulturellen Umfeld lebten. Die ganze antike Kultur – Griechenland und Rom – ist ja auch eine städtisch geprägte Kultur gewesen. Das heißt, in der Verkündigung hat man sich auf den Areopag, das heißt in die Mitte des kulturellen Lebens gewagt. Dabei hat man aber nicht mit unlauteren Mitteln die Leute propagandistisch für das eigene Denken eingenommen oder vielleicht genötigt, sondern gerade umgekehrt Zeugnis abgegeben von der Hoffnung, die in uns ist, und das dialogisch vermittelt. „Dialogisch" bedeutet, dass man das Eigene, das man zu sagen hat, logosgemäß, gesprächsweise vermitteln kann, mit Argumenten und Hinweisen und mit dem persönlichen Engagement. Der Glaube baut also auf der Freiheit des antwortenden Menschen auf und ist nicht erzwungen durch Manipulationen oder durch Druck und Zwang.

Später in der Kirchengeschichte, durch die Germanen- und Slawenmission, ist das Christentum sehr viel stärker auch in ländliche Gebiete, in die agrarisch geprägte Kultur eingetreten. Heute machen wir die Erfahrung, dass sich das Christentum entgegen seiner ursprünglichen Geschichte in Landgebieten stärker hält und im Alltag der Menschen verwurzelt ist, während es in den Städten zurückzugehen scheint, auch was die Gottesdienstpraxis betrifft. In den Städten findet man auch alternative Lebensformen, andere Milieus, die so in sich geschlossen sind, dass sie offenbar ohne eine Begegnung mit dem Christlichen auskommen. Dieses Problem wollen wir mit der Stadtmission angehen. Auch in anderen Städten – etwa in Paris oder in Wien – gibt es das Konzept der Stadtmission. Es besagt, dass wir uns nicht auf das ländliche Milieu zurückziehen wollen – oder innerhalb einer Großstadt auf das Milieu einer gewissen religiösen Subkultur, wo sich das Alte noch hält. Wir verstehen uns vielmehr als eine dynamische, nach vorne weisende Kraft.

Der Heilige Vater hat es deutlich gemacht: Es gibt die existenziellen Grundfragen, die von niemand anderem beantwortet werden können als von Gott selber, der uns in seiner Offenbarung, in seinem Wort die innerste Mitte, die innere Logik des Daseins erschlossen hat. Deshalb ist das Christentum auch nicht auf eine Geschichtsepoche beschränkt – als Bestandteil einer untergegangenen, wenn auch großartigen Epoche -, sondern es ist transkulturell, es kann verschiedene Kulturen und Milieus beeinflussen. Das ist es, was wir in der Stadtmission tun wollen. Wir akzeptieren nicht, auf ein bestimmtes bürgerlich-christliches Milieu reduziert zu werden, sondern wir wollen in alle Lebensbereiche hineingehen, den Menschen auch nachgehen und ihnen dort die Frohe Botschaft bringen. Gut, bei uns ist das vielleicht nicht so schwierig, weil es auch in den Städten unseres Bistums noch eine beachtliche Frequenz bei der Teilnahme am christlichen Leben gibt – wenn auch nicht immer so, wie es wünschenswert wäre. Aber dennoch: Was Taufen angeht, was

Firmungen angeht, die Teilnahme an der Eucharistie – zumindest an den hohen Festen – ist doch noch eine starke Verwurzelung da. Doch das soll nicht nur in den bestehenden Bestandteilen einfach abgerufen werden, sondern es soll in eine wieder ganz neue, dynamische Bewegung, in eine tiefere und reflektierte Identifikation bei vielen Menschen, die das kulturelle Leben tragen, übergehen.

Bei seiner Predigt auf dem Islinger Feld hat der Papst einige sehr markante Aussagen gemacht: „Der Glaube ist einfach", „Die Sache mit den Menschen geht nicht ohne Gott", „Wir glauben, dass das ewige Wort, die Vernunft, am Anfang steht, und nicht die Unvernunft". Sind das Schlüsselbegriffe, mit denen konkret die von Benedikt XVI. beklagte „Schwerhörigkeit" des modernen Menschen gegenüber Gott aufgebrochen werden kann?

Bischof Gerhard Ludwig: Der Glaube ist sicher einfach in dem Sinn, dass jeder Mensch unabhängig von seinem Intelligenzquotienten oder Bildungsstand die Grundbotschaft leicht begreifen kann: Dass jeder Mensch von Gott, unserem Schöpfer, berufen ist, in Gott auch seine Vollendung zu finden, und dass am Ende aller Irrungen und Wirrungen, in denen wir durchs Leben gehen, nicht ein absolutes Rätsel steht oder die absolute Nacht des Nichts uns umhüllt, sondern wir in die lichte Zukunft der Liebe Gottes eintreten können. Die Einfachheit der Grundbotschaft schließt aber nicht aus, dass das Christentum dazu fähig ist, die innere Rationalität, die tiefe Logik der unausschöpflichen Liebe Gottes so zu entfalten, dass sie auch höchsten Reflexionsansprüchen in der Philosophie und in der modernen Wissenschaft gerecht werden kann. Der christliche Glaube ist also keineswegs nur ein Gefühl, eine subjektive Emotion, die uns bloß scheinbar hinweghilft über das Geheimnis des Daseins und die Rätsel des menschlichen Lebens, sondern er gibt uns eine wirkliche und tragfähige Antwort.

Noch einmal nachgefragt: Glauben Sie, dass die prägnanten Formeln, die der Papst verwendet, bei der Glaubensvermittlung helfen können?

Bischof Gerhard Ludwig: Es ist die persönliche Kunst, das Charisma des Menschen Papst Benedikt XVI., dass er sowohl in hochreflektierter Theologie und Philosophie zuhause ist wie auch das Ganze auf lebensweltliche und existenzielle Grundinhalte hin sehr durchsichtig machen kann. Er hat die besondere Fähigkeit, Menschen jeden Alters und jeden Bildungsgrades sehr gut anzusprechen und auch komplexe Inhalte so zu verdeutlichen, dass sie im Grunde jeder verstehen kann. Insofern hilft uns die Verkündigungsart des Papstes als Vorbild, dass wir die Sache zwar einerseits nicht auf einfache Formeln reduzieren und damit simplifizieren – damit wäre nichts gewonnen –, sie aber andererseits auch nicht in ihrer Komplexität derart intellektualisieren, dass sie nur mehr einem kleinen, elitären Kreis zugänglich wird.

Der Heilige Vater ist sicher ein Vorbild für alle Verkünder – vom Bischof bis hin zu den Religionslehrern oder den Müttern, die ja die ersten Botinnen des Glaubens an die Kinder sind. Er macht uns vor, wie man die existenzielle Tiefe und die geistige Weite unseres Glaubens an die Offenbarung Gottes so vermittelt, dass jeder Mensch sich darin wiederfinden kann. Das entspricht auch dem Anliegen der Kirche: Wir machen schließlich nicht nur Zielgruppen-Gottesdienste für diese oder jene Klientel. Im Normalfall sind alle unsere Gottesdienste offen für Kinder, Erwachsene und Greise, für Universitätslehrer wie auch für Leute, die in anderen, rein praktischen Berufen tätig sind. Es ist ein besonderes Kennzeichen unseres christlichen Glaubens, dass wir das eine Gottesvolk sind, mit den verschiedenen Gaben und Fähigkeiten. Diese „Charismen" sind nicht dazu da, wie der Apostel Paulus sagt, damit der eine sich über den anderen erhebt, sondern damit alle dadurch aufgebaut und bereichert werden. Das Charisma unterscheidet sich von einer Einbildung dadurch, dass es anderen nützt und nicht dazu dient, der eigenen Eitelkeit und dem eigenen Geltungstrieb zu frönen.

Die Vorlesung des Heiligen Vaters an der Universität Regensburg über „Glaube und Vernunft" war in mancherlei Hinsicht ein epochaler Vorgang. Benedikt XVI. hat klar und deutlich gesagt, dass die Kirche nicht hinter das Zeitalter der Aufklärung zurückgehen möchte und dass sie den Wert der modernen Naturwissenschaften anerkennt. Andererseits hat er darauf bestanden, dass der Glaube berechtigte Anfragen an die Naturwissenschaften hat, ohne dass er deshalb als unwissenschaftlich hingestellt werden dürfte. Vielleicht können Sie zunächst die Bedeutung dieser Aussagen für die künftige kirchliche Arbeit erläutern, bevor wir gesondert über die Frage von religiös motivierter Gewalt sprechen, die zu einer Kontroverse mit der islamischen Welt geführt hat?

Bischof Gerhard Ludwig: Seit dem Zeitalter der Aufklärung sind ja auch wieder neue Sichtweisen entstanden – und damit eine Vertiefung dessen, was eigentlich Glaube und was Vernunft ist. Deshalb brauchen wir nicht hinter die Aufklärung zurückzugehen – sie steht für eine wichtige Epoche in der menschlichen Geistesgeschichte. Aber wir können auch nicht einfach bei der Aufklärung stehenbleiben. Wissenschaftler, die die säkulare Vernunft der Aufklärung repräsentieren, wie etwa Jürgen Habermas, haben doch von Horkheimer und Adorno her die Dialektik einer Aufklärung, das heißt einer bloß mathematisch-logisch begrenzten Vernunft, gesehen. Sie haben erkannt, dass das Ganze, wenn man die Vernunft so begrenzt, zu einer Zerstörung des Humanum, des Menschlichen, führen kann. Die Totalitarismen des 20. Jahrhunderts verstehen sich, so unvernünftig sie waren, als die eigentlichen Erben der Aufklärung. Hier zeigt sich ganz klar die Notwendigkeit, dass man, wenn man das Humanum bewahren will, einen tieferen Begriff von Vernunft heranziehen muss, der über die bloß menschliche Vernunft, und zwar in ihrer auf die mathematische Logik begrenzten

Art, hinausweist. Mit dieser Art von Vernunft kann der christliche Glaube, der sich ja selbst nicht als etwas Unvernünftiges, als etwas jenseits der Vernunft Stehendes sieht, eine ganz neue Verbindung eingehen.

Was bedeutet das, was der Papst zu Glaube und Vernunft gesagt hat, wenn man es in die alltägliche Praxis umsetzt?

Bischof Gerhard Ludwig: Die alltägliche Praxis ist immer wieder geprägt von übergreifenden Horizonten und Einstellungen. Denken Sie nur an die großen Herausforderungen durch die moderne Genetik oder die Gehirnforschung. Da wird vielfach die These vertreten, alles sei materiell determiniert, und deshalb sei der Mensch eigentlich gar nicht verantwortlich für seine Handlungen. Von da aus betrachtet, würde die ganze Rechtsprechung zusammenfallen. Einer, der ein KZ errichtet oder einen Massenmord plant, wäre dann genauso wenig für sein Handeln verantwortlich wie derjenige, der ein karitatives System aufbaut. Alles wäre dann letztlich die Folgerung von bestimmten materiellen Kombinationen im Gehirn des einzelnen Menschen. Wir sind dagegen davon überzeugt, dass die Unterscheidung von Gut und Böse auf der Transzendenz zu einer Vernunft basiert, die in der Lage ist, unsere Handlungen auf ihren Zweck und auf ihr Ziel und ihre Wirkung hin zu beurteilen. Dass wir zwischen Gut und Böse unterscheiden können und uns unserem Gewissen verpflichtet fühlen, zeigt, dass es in der objektiven Ordnung die Unterscheidung von Gut und Böse gibt. Das äußert sich dann sicher auch im alltäglichen Handeln. Hier ist der humanisierende Beitrag der christlichen Religion, unseres Glaubens, doch der, dass wir sagen: Der Mensch ist zwar ein leibliches Wesen, trotzdem gehört es zur Vernunft, zwischen wahr und falsch, zwischen Gut und Böse unterscheiden zu können – und von daher auch die Sinnorientierung des Menschen formulieren zu können.

Die Verwendung eines Zitats aus dem 14. Jahrhundert, das den Propheten Mohammed scharf kritisiert, hat zunächst heftige Reaktionen bei Muslimen hervorgerufen. Der Heilige Vater wollte in diesem Teil der Regensburger Vorlesung seine Überzeugung zum Ausdruck bringen, dass keine wie auch immer geartete Gewalt sich auf Gott berufen kann. Wird der interreligiöse Dialog mit dem Islam in Zukunft noch schwieriger werden?

Bischof Gerhard Ludwig: Ich hoffe, dass er leichter wird, indem man sich innerhalb der islamischen Welt wirklich mit diesem Grundproblem der eigenen Tradition auseinandersetzt, und dass man unterscheidet zwischen den historischen Bedingtheiten, die es im Selbstverständnis und Wirken Mohammeds und aller seiner Nachfolger gegeben hat. Ich hoffe, dass man sich dann auf den ursprünglichen Gottesbegriff, den der Koran ja anzielt, besinnt. Und da muss man mit Hilfe der Vernunft doch sagen, dass es unvernünftig und somit auch widergöttlich wäre, wenn im Namen Gottes Menschen beschädigt, verletzt und umgebracht würden, die er selber geschaffen hat.

Diese Reflexion ist notwendig, denn man kann sich nicht rein positivistisch auf dieses oder jenes Zitat aus dem Koran beziehen und sagen „Das steht jetzt halt hier". Wenn man liest, der gläubige Muslim solle „gegenüber dem Ungläubigen auch zum Schwert greifen", dann muss man sozusagen durch solche auch zeitbedingten Aussagen hindurchschauen auf das, was bei einer Offenbarung Gottes eigentlich vernunftgemäß gemeint sein kann. Hier ist der Islam gefragt, ob er einen konsistenten Gottesbegriff hat, der nicht sich selbst widerspricht. Denn es ist doch evident, dass Gott den Menschen mit Freiheit und Vernunft erschaffen hat. Vernunft und Freiheit kommen nicht irgendwo her. Wenn sie zum Wesen des Menschen gehören, sind sie auch von Gott erschaffen und damit Spiegelbild des Willens Gottes zu diesem Menschen. Vernunft und Freiheit sind eigentlich die Beziehungs-

ebenen, mit denen wir als leibliche und sterbliche Wesen in Kontakt treten können zu Gott. Deshalb will Gott niemals, dass durch Bedrohung unseres Leibes in unserer Seele innere Entscheidungen, Überzeugungen hervorgebracht oder nach außen gespiegelt werden, die von unserem Wahrheitsgewissen nicht gedeckt wären. Gott will, dass die Menschen ihn in Geist und Wahrheit anbeten, so heißt es im Johannes-Evangelium. Sowohl für den christlichen Glauben wie auch für die islamische Religion ist es wichtig, dass man sich dieses Zusammenhangs von Glaube und Freiheit ganz neu bewusst wird.

Zum Abschluss des offiziellen Besuchstags in Regensburg hat der Papst mit Vertretern der evangelischen und der orthodoxen Kirche eine Ökumenische Vesper im Dom St. Peter gefeiert. Das gemeinsame Gebet und die Übernahme liturgischer Funktionen durch die Vertreter der verschiedenen Konfessionen wurde als starkes Symbol einer „versöhnten Verschiedenheit" empfunden. Dennoch wurde hier und da ein weitergehendes ökumenisches Signal vermisst. Welche Impulse können von der Ökumenischen Vesper für die Zukunft ausgehen?

Bischof Gerhard Ludwig: In der Vesper ist deutlich geworden, was wir von Anfang an beabsichtigt hatten: ein gemeinsames Gotteslob. Zu erleben war kein Potpourri, wo jeder mal „drankam", sondern die Gemeinsamkeit beim Singen der Psalmen, bei den Fürbitten, beim Vaterunser – alle tragenden Elemente einer Vesper sind von uns gemeinsam gebetet und gesungen worden. Auch der gemeinsame Segen – eigentlich der Höhepunkt des Abendlobes – hat diese Grundidee vermittelt und gezeigt: Wir handeln nicht nur parallel nebeneinander, sondern wir tun aus einer Wurzel heraus das Gleiche.

Es gab schon viele bilaterale und multilaterale Dialoge zwischen Katholiken, Protestanten und Orthodoxen. Diese Gespräche beziehen sich aber auf theologische

Sachverhalte, bei denen meistens nur theologisch gebildete Fachleute mitreden können. Für viele Gläubige ist das unbefriedigend, weil dann die Trennung, die im eigenen Leben konkret erlebt wird, kein Forum findet. Gerade bei uns in Deutschland mit seinen vielen konfessionell unterschiedlichen Familien ist das ein Thema. Uns in Regensburg ging es deshalb darum, zu zeigen, dass es wirklich eine ursprüngliche und tiefe Einheit gibt in dem Bekenntnis zum einen und dreifaltigen Gott, zu Christus und seiner Menschwerdung, zum Heiligen Geist, zum ewigen Leben, zur Gemeinschaft des Gottesvolkes – obwohl natürlich auch gravierende Divergenzen bestehen. Wir wollten zeigen, dass wir uns nicht gegeneinander ausspielen lassen, dass wir eine gemeinsame Grundeinheit schon besitzen. Das ist auch die Basis dafür, an die noch bestehenden bekenntnismäßigen Divergenzen heranzugehen. Wir müssen von der Gemeinsamkeit ausgehen und von da her die Differenzen betrachten, und nicht etwa zuerst die Divergenzen in den Mittelpunkt stellen, was immer die Gefahr in sich birgt, die bestehenden Gemeinsamkeiten aus den Augen verlieren.

Nun wird immer gesprochen von den „Erwartungen", die an den Papstbesuch gerichtet wurden, von den „Signalen", die davon ausgehen sollten. Dem liegt ein etwas fehlgeleitetes Verständnis vom Amt des Papstes zugrunde. Einerseits beklagt man die Unfehlbarkeit, andererseits meint man, der Papst sei ein absolutistischer Fürst, der freihändig, aus Lust und Laune, die Wünsche des Volkes befriedigt und Bonbons verteilt. Doch der Papst will und kann auch nichts anderes, als was aus dem allgemeinen Glauben der katholischen Kirche heraus gesagt werden kann. Der Papst kann nicht Glaubensgrundsätze aufheben oder neue Glaubensbekenntnisse schaffen oder mit einem Gewaltstreich den Gordischen Knoten durchschlagen. Wenn es in der Sache selbst keine Lösung in diesen Kontroversfragen gibt, kann auch der Papst nicht einfach sagen: „Na gut, dann geben wir halt unseren katholischen Glauben auf und werden ein bisschen evange-

lisch." Denn bezüglich der Realpräsenz, der Transsubstantiation, der Wesensverwandlung, der apostolischen Sukzession im Bischofs- und Priesteramt gibt es nach wie vor Divergenzen. Die kann der Papst nicht einfach in einem Gewaltstreich überspringen. Er kann nur versuchen, den katholischen Glauben so zu erklären, dass auch die anderen sich darin wiederfinden können und merken, dass wir doch nicht so „schlimm" sind, wie manche meinen, das heißt, dass wir gar nicht leugnen, was ihnen wichtig ist.

Bei der Weihe der Papst-Benedikt-Orgel in der Alten Kapelle hob der Heilige Vater unter anderem die große Bedeutung Regensburgs als Zentrum der Kirchenmusik hervor. Andererseits wurde auf dem Islinger Feld das eigens zum Papst-Besuch komponierte Lied „Wer glaubt, ist nie allein" gesungen. Hat sich das Bistum Regensburg kirchenmusikalisch besonders gut geschlagen?

Bischof Gerhard Ludwig: Man kann sicher ohne Selbstlob sagen, dass wir in Regensburg die besten Voraussetzungen haben, um kirchenmusikalisch Höhepunkte zu setzen. Wir haben eben unsere Domspatzen, den ältesten Kirchenchor der Welt in ununterbrochener Existenz, wir haben die älteste kirchenmusikalische Hochschule, wir werden in unserem Dom auch eine herausragende Domorgel bekommen, und wir haben in der Alten Kapelle und in vielen anderen Kirchen der Stadt und im ganzen Bistum von der kirchenmusikalischen Hochschule her geprägte Kirchenmusik – in Chören, die über den Durchschnitt weit hinausragen. Darauf sind wir stolz, ohne uns damit über andere erheben zu wollen. Ich muss aber auch dazusagen, dass wir diese Leistungen nicht einfach als reife Früchte in den Schoß gelegt bekommen, sondern dass die Diözese hier einen ganz gewaltigen Einsatz erbringt, was Personen und was das Finanzielle angeht.

Glauben Sie, dass das Papstlied „Wer glaubt, ist nie allein" Eingang in die Kirchengesangbücher finden wird, speziell ins neue „Gotteslob"?

Bischof Gerhard Ludwig: Auf jeden Fall wird es in unseren Regensburg-Teil aufgenommen werden. Das Lied ist ja praktisch ein historisches Zeugnis und wird von den Leuten so gern gesungen, dass man sich dadurch mit dem Papst und seinem Besuch – diesem größten Ereignis in der Regensburger Kirchengeschichte – identifiziert.

Bei den Fahrten durch die Stadt, besonders aber beim Privaten Tag des Heiligen Vaters in Regensburg und Pentling wurde deutlich, wie viel Herzlichkeit Benedikt XVI. ausstrahlt, aber auch von den Menschen wiederbekommt. Glauben Sie, dass darin eine Botschaft steckt, die man für die Arbeit im Bistum nutzen kann?

Bischof Gerhard Ludwig: Es war schon erstaunlich, diese wechselseitige Herzlichkeit zu sehen. Ich konnte unmittelbar vom Papamobil aus erleben, dass wirklich die Augen und die Herzen der Menschen geleuchtet haben und völlig unverkrampfte Fröhlichkeit zu spüren war. Kürzlich habe ich irgendwo die Frage gelesen, wie der Papst mit so viel Personenkult umgehen kann. Ich kenne Personenkultfeiern nur gegenüber weltlichen Herrschern, zum Beispiel aus historischen Filmen und Fernsehberichten. Das, was sich bei uns hier abgespielt hat, hat damit überhaupt nichts zu tun. Hier setzt sich nicht einer über die Menschen hinweg und lässt sich anhimmeln in hybrider Selbstüberschätzung. Nein, der Papst weiß sehr genau, dass er auch als Oberhaupt der katholischen Kirche ein sterblicher und vergänglicher und schwacher Mensch ist. Aber dieses gegenseitige Sichzuwinken und Jubeln war doch Ausdruck der gemeinsamen Freude des Erlöstseins durch das Evangelium, das die Kirche und der Papst als universaler Hirte der Kirche verkünden. Benedikt XVI. ist den Menschen als sichtbare Gestalt der Freude des Evangeli-

ums erschienen, und die Menschen haben das gespürt. Diese Herzlichkeit kam wirklich aus dem Herzen, sie war nicht gespielt. Das Zuwinken dem Papst gegenüber wie auch das Zurückwinken und Segnen kam aus der inneren Verbundenheit im Christusgeheimnis und im Wissen, dass wir alle Glieder des einen Leibes Christi, der Kirche, sind.

Von den Impulsen des Papst-Besuchs in Regensburg wird das Bistum noch lange zehren. Wird es auch sichtbare und materiell greifbare „Hinterlassenschaften" geben – etwa dadurch, dass Kreuz- und Altarhügel auf dem Islinger Feld erhalten bleiben?

Bischof Gerhard Ludwig: Die Diözese und die Stadt sind dabei, Überlegungen in die Tat umzusetzen, wie man dieses einmalige geistliche Ereignis in einer sichtbaren Form erhalten kann. Das Kreuz muss auf jeden Fall erhalten bleiben, der Altar wird ja in die Pentlinger Kirche gestellt. Auch in anderer Weise – in Büchern, Bildbänden oder auf DVDs – kann das Ganze präsent bleiben. Es ist sicher sehr wichtig, dass das Islinger Feld oder Teile davon für die Menschen begehbar bleiben, dass mit einem gewissen Abstand dort auch wieder gottesdienstliche Ereignisse zur Erinnerung stattfinden. Auch im bzw. beim Dom soll etwas angebracht werden – ein Relief oder ein Denkmal, das dann über die Jahrhunderte hinweg dieses historische Ereignis festhält: den Besuch des Heiligen Vaters, Papst Benedikt XVI. in Regensburg im Jahre des Heils 2006.

2005

19. April: Das Konklave wählt Joseph Kardinal Ratzinger zum Papst.

20. April: In Regensburg feiert Bischof Gerhard Ludwig ein Pontifikalamt zum Dank für die Wahl des Papstes.

25. April: Papst Benedikt XVI. empfängt den Regensburger Bischof in Rom.
Dabei lädt Bischof Gerhard Ludwig den Papst nach Regensburg ein.

26. April: Das Wappen von Papst Benedikt XVI. wird vorgestellt. Die Jakobsmuschel im päpstlichen Wappen erinnert an das Regensburger Schottenkloster.

1. Juni: Ein „Wort des Bischofs" zur Wahl und Amtseinführung des Heiligen Vaters erscheint.

16. Juni: Das Wappen Papst Benedikts XVI. wird am Hauptportal der Päpstlichen Basilika St. Emmeram in Regensburg angebracht.

8. Dezember: Der Bischof kündigt den Pastoralbesuch von Papst Benedikt XVI. in Regensburg für September kommenden Jahres an.

2006

1. Januar: Regensburger Sternsinger bringen Papst Benedikt XVI. Gaben während des Neujahrsgottesdienstes.

6. Januar: Der Bischof eröffnet das Jahr der Vorbereitungen auf den Besuch des Papstes, auf ein „Jahrtausendereignis".

25. Januar: Der Bischof gibt im Rahmen der geistlichen Vorbereitung auf den Besuch eine Einführung in die erste Enzyklika Papst Benedikts, „Deus Caritas Est".

8. März: Das Bischöfliche Ordinariat begrüßt den Vorschlag des Bayerischen Kultusministeriums, den 12. September als schulfrei zu planen.

10. März: Vorstellung des 1. Materialhefts zur pastoralen Vorbereitung auf den Besuch des Papstes in Regensburg

16. März: Der Päpstliche Reisemarschall, Dr. Alberto Gasbarri, besucht Regensburg, um sich über den Stand der Vorbereitungen auf den Papstbesuch zu unterrichten.

22. März: „Wer glaubt, ist nie allein" – Bayerns Bischöfe präsentieren ein gemeinsames Motto und Plakat zum Papstbesuch.

6. April: Start des Internetauftritts www.benedikt-in-bayern.de
Registrierungsverfahren für Papstmesse in Regensburg durch Generalvikar Fuchs vorgestellt

11. April: Vorstellung des offiziellen Liedes zum Papstbesuch

13. April: Papstausstellung in Pentling durch Bischof eröffnet

16. April: 79. Geburtstag von Papst Benedikt XVI.

5. Mai: Vorstellung des 2. Materialhefts zur pastoralen Vorbereitung

9. Mai: Bischof Gerhard Ludwig segnet das Kreuz für die Papstmesse auf dem Islinger Feld.

15. Mai: Der Bischof stellt das Regensburger Logo zum Besuch des Heiligen Vaters vor.

24. Mai: Bittprozession für das Gelingen des Papstbesuchs im Regensburger Stadtzentrum

12. Juni: Eröffnung einer Fotoausstellung im Diözesanmuseum Obermünster als Teil der Vorbereitung auf den Papstbesuch

13. Juni: Generalvikar Michael Fuchs äußert sich erfreut über die Entscheidung des Innenministeriums, die A3 am 12. September zu sperren.

21. Juni: Bei einer Privataudienz im Vatikan übergibt OB Hans Schaidinger an der Spitze einer 27-köpfigen Delegation dem Papst die Ernennungsurkunde zum Ehrenbürger von Regensburg.

22. Juni: Generalvikar, Oberbürgermeister und Landrat rufen zur ehrenamtlichen Mithilfe beim Papstbesuch auf.

29. Juni: Der Bischof eröffnet die Ausstellung „Tu es Petrus" im Domkapitelhaus.

12. Juli: Spatenstich für die neue Bahnstation in Burgweinting

15. Juli: Über 1000 Gläubige nehmen an der Sternwallfahrt zum Kreuz auf dem Islinger Feld teil.

24. Juli: Vorstellung des 3. Materialhefts zur pastoralen Vorbereitung

8. August: Entschalung des Westportals am Dom St. Peter beginnt

15. August: Das Diözesankomitee der Katholiken veranstaltet eine Gebetnacht für Papst Benedikt XVI. im Regensburger Dom.

18. August: Mit der Eröffnung des ersten Verkaufsstands vor dem Dom hat der Verkauf der offiziellen Artikel zum Papstbesuch begonnen.

19. August: Offizielles Besuchsprogramm von Papst Benedikt XVI. in Bayern veröffentlicht

21. August: Kruzifix und Marienbild für die Altarinsel auf dem Islinger Feld werden aus der Schottenkirche und der Dominikanerkirche abgenommen

26. August: Aufruf zu einer Spendensammlung für ein Gemeindezentrum in Nazareth, deren Erlös Papst Benedikt als Geschenk für Christen im Heiligen Land bei seinem Pastoralbesuch in Bayern übergeben werden soll

28. August: Der Baldachin über der Altarinsel ist gespannt.

1. September: Die Pilgerzeitung zum Papstbesuch erscheint.

2. September: Segnung des Islinger Felds durch den Bischof mit über 1000 Gläubigen

4. September: Der Bischof eröffnet eine Ausstellung mit Arbeiten des Schülerwettbewerbs „Wer glaubt, ist nie allein" in einem Regensburger Einkaufszentrum (über 170 Schulen haben teilgenommen).
Vorstellung der Großflächenplakate, die an 133 Orte während des Papstbesuchs geklebt werden

5. September: Der Bischof betont in einer Pressekonferenz die spirituelle Dimension des Pastoralbesuchs von Papst Benedikt XVI.
Er lädt Sponsoren des Papstbesuchs zu einem Empfang in das Priesterseminar.

8. September: Der Altar auf dem Altarhügel des Islinger Felds wird aufgestellt.

11. September: Papst Benedikt XVI. landet im Hubschrauber auf dem Gelände der Regensburger Nibelungenkaserne.

6. Oktober: Zum Dank für den Papstbesuch feiert der Bischof mit 1200 Gläubigen im Dom einen Gottesdienst.